A S'ENTEND

ue Finnie

tudent's book
assettes

M·G·P MARY GLASGOW PUBLICATIONS

Acknowledgements

The publishers are pleased to acknowledge the use of the following copyright material:

Centre des Fontaines rules (p9), *Dinard jeunesse* leaflet (p5), *Dragon d'Émeraude* advertisement (p5), *Éducatel* advertisement (p69), *Fédération régionale des associations de randonnée* leaflet (p58), French railways timetable extracts (p71), *Gîtes de France Calvados* advertisement (p14), Hertz leaflet (p26), *Hypermarchés Continent* catalogue page (p55), *Miami* restaurant advertisement (p48), *Office du tourisme* leaflet picture – Cayeux (p4), *Office du tourisme* leaflet picture – Deauville (p24), *Office du tourisme* leaflet extracts – Dinard (p5), *Office du tourisme* leaflet extracts – St Valery-sur-Somme (p46), *OK!* magazine extracts (p39), *Pizzeria* advertisement (p47), *PTT* leaflet extract and stamps (p40), *Télérama* extracts (pp12-13).

In some cases it has not been possible to trace copyright holders of material reproduced in **Ça s'entend**. The publishers will be pleased to rectify any omissions at the earliest opportunity.

Design: Janette Fry
Cover artwork: Phillip Burrows
Illustrations: Sally Alexander, Jennie Burgen, Philip Burrows, Bridget Dowty, Joe Rice
Photographs:
Sue Finnie Units 3,17,21,23,28.
Focus Unit 15.
Keith Gibson Units 6,8,11,13,16,18,24,29,30,35.
Mike Haran Units 5,12.
Milos Lukic Units 1,7,14,17,18,20,22.
Paul Nightingale/Spooner Unit 25.
Recording: The cassettes were recorded with the voices of Younes Akhanlich, Monique Baudet Smyth, Jean-Pierre Blanchard, Philippe Charbonnier, Nathalie Faverjon, Nathalie Fontaine Garant, Nicholas Mead, Séverine Soulayres, Mireille Spademan
Studio: Motivation Sound
Production: Alma Gray

Published by Mary Glasgow Publications Ltd 1991
Avenue House
131-133 Holland Park Avenue
London W11 4UT

© Sue Finnie and Mary Glasgow Publications Ltd 1991
First published 1991
ISBN 185234-345-1

Mary Glasgow Publications Ltd
131-133 Holland Park Avenue
London W11 4UT

Typeset by The Type Connection, Egham, Surrey
Printed by Hollen Street Press Ltd at Slough

CONTENTS

INTRODUCTION

Components

1 book   2 cassettes

Ça s'entend aims to help you to prepare for the GCSE or Scottish Standard Grade examination. The settings and topics chosen, the language functions and general notions covered, and the structures and vocabulary included are all in line with the examination syllabuses.

This book is divided into 36 units, each unit set out over a double-page spread. The basis of every unit is a short taped recording with comprehension questions (on the left-hand page). These are followed by task-based activities (on the right-hand page). These activities aim to develop speaking, reading and writing skills, practising the vocabulary and structures already met during the listening work.

Topics

Each unit focuses on a main topic which includes language required for examination purposes. In addition, each unit covers one or more sub-topics, reflecting the 'cross-topic' nature of real-life situations.

The units are not arranged in order of difficulty and you should refer to the list of topics in the Contents list to decide the order in which to use them to fit in with the progression of your course-work.

Self-access

Ça s'entend is suitable for use both in classes where pupils are all working together and by pupils working independently. It has been designed to help you to take some responsibility for your own learning. For this reason and to avoid any possible confusion, all the instructions in this book are given in English. A full transcript of the cassette recordings is given at the back of the book for reference when checking answers to the listening exercises.

Astuce

 You will find this symbol in every unit. It indicates a listening 'tip' to help you to recognise useful sounds or patterns and to give you an insight into how the language works. If you can remember these tips, they will help you to cope with new listening passages in the future.

The cassette recordings

Examination syllabuses expect pupils to be able to follow and understand a native speaker speaking at normal speed about everyday topics. The **Ça s'entend** cassettes contain 36 recordings made by native speakers using only semi-scripts as a guide. The language is therefore natural and spontaneous, and contains the sorts of hesitation, repetition and redundancy you would expect to hear. The full range of listening types required for GCSE and Standard Grade examinations is covered – dialogues, monologues, announcements, instructions, etc.

 The recordings vary in length but are mainly quite short. Longer texts can usually be split easily into shorter sections. In examinations listening passage is normally heard only twice, but as **Ça s'entend** is intended for practice rather than testing, play the tape as many times as necessary to complete each task.

Before you listen

You need to be familiar with most of the vocabulary and structures in a unit before starting work on it. If you are working alone consult your teacher about whether you are ready to tackle a particular unit.

achers preparing for a whole-class activity
ould check that the relevant language has been
vered and may wish to provide pupils in
'vance with any specialised or difficult words
ey may need to know. The scene-setting
iotographs and the realia could provide a
arting point for a brief oral presentation or
vision of any unfamiliar words. Alternatively,
achers might prefer to bring in visual aids to
troduce the subject matter (for example, tourist
ochures and weather reports for Unit 2;
aveller's cheques and French currency for Unit
).

istening tasks

r each recording, a photograph, illustration
piece of realia appears in the book to set
e scene, and one or two brief phrases in
iglish explain the context.

most units, the comprehension and
tening tasks based on the recordings
velop through three progressively more
manding stages. Each stage is
presented by a symbol.

 First there is a 'gist' question to
check that you have a general idea
of what the recording is about. It is
intended to be answered after the
first hearing and is normally a
choice between two descriptive
statements.

achers may prefer not to use the book at this
ige but to encourage pupils to offer their own
scriptive statements.

 Then there are questions or tasks
which require you to understand
specific detail or extract relevant
information from what you hear.
Many of them are realistic tasks
which often involve the use of lists,
forms, diagrams, etc. There are
usually three or four questions of
this type. Your aim is to complete
the tasks; there is no need to
understand every word you hear.
Because examinations consist of
questions in English to be
answered in English, the questions
in *Ça s'entend* follow this pattern.

 Finally there is a question or task
which practises skills of more
general application – drawing
conclusions, analysing, identifying
attitudes and opinions, and so on.
This type of question is particularly
appropriate for those who are
preparing for higher-level listening
examinations.

Speaking, reading and writing activities

In each unit, the right-hand page is devoted
to a mixture of speaking, reading and
writing activities which develop from the
listening activities. The purpose of all these
tasks is to aid comprehension and to
reinforce and extend the listening work.
They are all carefully graded – within each
unit, they are straightforward and controlled
to begin with (one-star symbol), but are
progressively more demanding and open-
ended (two-star symbol).

 ### Speaking
The speaking tasks are designed
to be used in pairs. They range
from simple conversations closely
linked to language patterns
already introduced on cassette
through to more complex
conversations requiring more
creative responses.

 ### Reading
The reading tasks often go hand-
in-hand with the speaking tasks
and are often based on authentic
material – documents, pamphlets,
etc.

 ### Writing
The writing tasks generally take
the form of a short message or
letter, in keeping with examination
requirements.

*Teachers may decide that not all pupils need to
complete all the tasks. Ideally, all the work should
be carried out in French. However, it may be more
appropriate for certain pupils to complete some of
the tasks in English.*

Sasentend

1 ON VA FAIRE DES COURSES

Your French friend's father is talking to you about going shopping.

1 Which is correct?
  i) He is explaining that you can't get all the shopping as certain shops will be shut.
  ii) He is explaining which shops you will have to go to and how to find them.

2 a) List the shops in the order they are mentioned.
  b) Next to each shop, write the item(s) you have to buy there.
  c) Which item on the shopping list (on the right) has your friend's father forgotten to mention?
  d) Work out your route on the sketch map. Which numbers correspond to which shops?

3 Does your friend's father sound confident that you will be able to find all the shops?

In spoken French, the **ne** is often dropped from a negative statement. Listen out for **Tu vas pas te tromper?** instead of **Tu ne vas pas te tromper?** At other times, you may hear people saying **jamais, personne, plus** and **rien** without the **ne**.

À LA PHARMACIE

Shampooing doux TIMOTEI
le flacon de 200 ml..................... **18,00F**

Dentifrice AQUAFRESH 3
le tube de 75 ml....................... **8,25**

Papier hygiénique TRÈFLE parfumé
le lot de 6 rouleaux.................. **14,65**

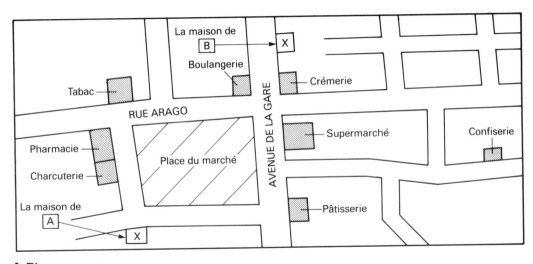

4 Plan a shopping trip with a partner. Choose for yourself four items from these pages. Make a note of them and of the shops you'll need to go to. Then, in French, find out what your partner is going to buy and where. Which shops could you go to together?

> Je vais acheter...
> Tu vas à la pharmacie/au supermarché?

5 Using your list from task 4 and the map above, explain your route to your partner. Where will you meet up?

> D'abord, je vais ...
> Ensuite, je vais ...
> On se retrouve à ...

6 Leave a message for a French friend to explain which shops you are going to, so that your friend can catch you up later. Read the note to Marie first, as an example.

À LA CRÉMERIE

Lait U.H.T. CANDIA demi-écrémé
le litre **3,90F**

Crème fraîche YOPLAÏT
le pot de 20 cl **3,95F**

Fromage frais EMMENTAL
le kg **34,50F**

À LA PÂTISSERIE

Tartlettes aux fraises SAINT MICHEL
le lot de 2 paquets de 8 (250g) **8,50F**

34 Biscottes normales HEUDEBERT
le paquet de 300g **5,80F**

À LA CONFISERIE

au lait LINDT
tablettes de 100g **11,90F**

menthe claire LA PIE QUI CHANTE
de 180g **5,00F**

À LA CHARCUTERIE

Saucisse de Strasbourg OLIDA
le lot de 2 paquets de 6 (420g) **19,90F**

Jambon supérieur OLIDA
le kg **39,80F**

AU SUPERMARCHÉ

FRISKIES croquettes de chien
3 variétés au choix - 1,5kg **15,50F**

Confiture fraises ANDROS – 25% de sucre en moins
le pot de 350g **6,50F**

ORANGINA light
1,5 litre **8,90F**

TROIS **3**

2 QU'EST-CE QU'IL Y A À FAIRE ICI?

At a hotel in Cayeux-sur-Mer, you overhear a Belgian tourist talking to the receptionist.

CAYEUX-SUR-MER

PROMENADES - LOISIRS - SANTÉ

1 Which is correct?
i) The receptionist suggests a number of places to visit in the town.
ii) The receptionist suggests other towns to visit in Normandy.

2 a) Look at the tourist information about Cayeux-sur-Mer (below). Which of the activities shown are mentioned in the dialogue?

b) What is the weather forecast for the weekend?

c) What is the telephone number of the *Centre de loisirs*?

d) Why might she go to Abbeville?

3 Which suggestions do you think caught the girl's interest most?

	SPORTS ET DISTRACTIONS															
La Côte	Plage de sable ou de galets	Parc ou jardin public	Port de plaisance	Casino	Cinéma	Piscine	Location de bateaux ou de pédalos	École de voile	Ski nautique	Char à voile	Sentiers de promenade balisés	Tennis	Équitation	Location de bicyclettes	Société de pêche	Courses de chevaux
Calais	✓	✓	✓		✓	✓		✓	✓	✓				✓	✓	
Cayeux-sur-Mer	✓	✓			✓	✓	✓	✓			✓	✓	✓	✓	✓	
Fort-Mahon-Plage	✓					✓		✓		✓		✓	✓			

Astuce

*When they speak, French people don't always pronounce every word clearly. The **il** of **il y a** is not always stressed and sometimes disappears altogether, leaving a sound like **ya**.*

4 Which of these facilities are available at Dinard? Find out by reading the advertisements on this page.

riding school? skating rink? swimming pool? sailing school? foreign food restaurant? market? bicycle hire? park? museum?

Then check with a partner.

> Est-ce qu'il y a un/une ...?
> Est-ce qu'on peut ...?
> Oui/Non ...

DRAGON D'EMERAUDE

RESTAURANT CHINOIS VIETNAMIEN

54, boulevard Féart
DINARD
Tél. : 46.94.29

Ouvert de 19h à 22h
Fermenture hebdomadaire mercredi
Juillet-août: ouvert tous les jours

5 With your partner, plan a day in Dinard. Choose what you would like to do, and note the times of day. Then discuss your suggestions and try to agree on what you will do.

> On va à ...?
> Tu préfères aller à la ...?
> L'après-midi, je voudrais aller au ...

BRETAGNE
COTE D'ÉMERAUDE

RENSEIGNEMENTS PRATIQUES

Moyens d'accès : par route ; par chemin de fer (Paris – Saint-Malo puis bus S.N.C.F.) ; par bateaux (services entre la Grande-Bretagne et Saint-Malo) ; par avions (services directs entre Paris, Londres, Jersey et Dinard).

ATTRACTIONS : Casino ; jeux (roulette, boule, black-jack), bar, salon de thé, restaurant, discothèque, soirees dansantes, galas et conferences filmees en saison. Cinema. Theatre. Fêtes. Night-clubs. Tous les sports.

AVIATION : Aéroport de Dinard à 4 km du centre ville. Baptêmes de l'air.

BILLARDS et ECHECS (academie de) : Manoir de Port-Breton, 99 46 22 86.

BRIDGE-CLUB : ouvert tous les après-midi pour parties libres. Tournois individuels et par paires. Tournois régionaux en saison; Manoir de Port-Breton 99 46 20 45.

EQUITATION : Centre équestre de la Côte d'Emeraude «Le Val Porée», Dinard; ouvert toute l'année; 99 46 23 57.

GOLF : à Saint-Briac (golf de Dinard), 18 trous; le plus beau et le plus varié des parcours de France; club-house; ouvert toute l'année, 99 88 32 07.

MUSÉE DE LA MER - AQUARIUM : 17, avenue George V; ouvert en saison; 99 46 13 90.

PÊCHE : en mer; en eau douce (étangs de la Richardais, étangs et barrages du Frémur); renseignements à l'Office du Tourisme de Dinard.

PISCINES : deux piscines d'eau de mer, en plein air sur les plages de l'Ecluse et du Prieuré. Une piscine olympique (50 m × 16 m) d'eau de mer, chauffée, filtrée, avec toit ouvrant; ouverte toute l'année.

PLAGES : trois belles plages de sable fin, toutes en pente douce. Service de surveillance et de sécurité sur toutes les plages; leçons de culture physique et de natation par professeurs diplômés. Clubs de plage pour enfants. Pédalos. Pour la location de cabines et de tentes en hors-saison, s'adresser à la piscine de Dinard, 99 46 22 77.

TENNIS : Tennis-club de Dinard (11 courts dont 1 couvert); ouvert toute l'année. 99 46 10 17.

YACHTING : régates, championnats nationaux, course-croisière internationale Cowes-Dinard. Plusieurs écoles de voile et de planches à voile.

AGENCES DE VOYAGES : excursions en avion, bateau et autocar. Se renseigner auprès de l'Office du Tourisme.

HOTELS et CAMPINGS : Demander la liste à l'Office de Tourisme, 2 boulevard Féart, B.P. 128, 35802 Dinard, 99 46 94 12. – Telex 950 470

6 Your schedule for the day has to be revised because it is raining. Talk with your partner again to see if you can arrange a new plan for the day.

7 Write notes about one of the schedules you have agreed with your partner. Then check it with what your partner has written.

8 How does Dinard compare with your town or local area? Write a letter in French to a French friend in Dinard who is coming to visit you. Explain all there is to see and do where you live.

ECOLE DE VOILE * PLANCHE à VOILE
(STAGE D'UNE SEMAINE)
Organisation de Sports Collectifs

Volley-Ball - Hand-Ball - Foot-Ball - Ping-Pong - Natation
EXCURSIONS - SOIREES DANSANTES
Organisation de JEUX DE PLAGE, coupes, etc..., avec distribution de prix

Initiation au JUDO - Self-Défense * **Tir à l'Arc et à la Carabine**

3 ON SE RENCONTRE OÙ?

You are waiting at Abbeville station for a train to Amiens, and overhear a young couple talking nearby.

1 What is the problem they are talking about?

2 **a)** Which platform does the couple's train leave from?

b) Which platform does your train leave from?

c) At what time will the delayed train arrive?

d) Read these entries from the girl's diary. Which one corresponds to their new arrangements?

3 How does the boy react to the announcement?

i) Café du Parc à 5 h.

ii) Devant le cinéma à 5 h.

iii) Devant la gare à 5 h.

Numéro du train	78011	2001	2003	401	2015	1105	78021	2027	2031	2035	2033	78043	2033	2037	2041	2043	2045
Paris-Nord		06.45	06.54	08.05	09.27	10.47		14.24	15.57	17.04	17.07			17.55	18.46	19.31	
Longueau													18.38	19.02	19.53		21.29
Amiens	05.02	07.58	08.20	09.24	10.46	11.58		15.43	17.13	18.19	18.19		18.45	19.15	20.06	20.46	21.37
Abbeville	**06.25**	**08.24**	**08.54**		11.16		13.10	16.09	17.38	18.47	18.45	19.02	19.09	19.41	20.32	21.15	22.05
Noyelles	06.36		09.05		11.28		13.23	16.22		18.59		19.15		19.52		21.27	22.15
Rue	06.44		09.13		11.38		13.34	16.31		19.09		19.26		20.01		21.36	22.24
Rang-du-Fliers-Verton	06.59		09.25		11.50			16.44	18.03	19.23		19.43			20.57	21.49	22.35
Étaples-le-Touquet	07.08	08.54	09.35		12.00			16.54	18.13	19.34	19.16		19.39	20.20	21.07	21.59	22.45
Bologne-Ville	07.37	09.13	09.53	10.28	12.19	13.13		17.15	18.33	19.56	19.36		19.56	20.40	21.26	22.19	23.02
Boulogne-Maritime																	
Wimilie-Wimereux	07.45				12.30			17.26		20.05	19.45		20.05				23.08
Marquise-Rinxent	07.53				12.40			17.36		20.17	19.55		20.14		21.41		23.17
Calais-Ville	08.14	09.39	10.23	10.56	13.01	13.46		17.56	19.02	20.38	20.14		20.33	21.10	22.01		23.35
Calais-Maritime		09.45	10.30			13.53											

Les trains circulant tous les jours ont leurs horaires indiqués en gros.
Tous les trains offrent des places assises en 1ère et 2e classe sauf indication contraire.

In station announcements, you will often hear the formal expressions
en provenance de *(arriving from) and*
à destination de *(going to).*

4 Look at the train timetable on page six. With a partner, make a list of the times of all the trains from Abbeville to Noyelles.

Il y a un train à . . .

5 Choose a train to take to Noyelles. You are meeting your partner there, so you need to phone with the details.

You need to:

– say what time the train leaves Abbeville
– say what time it arrives in Noyelles
– ask where you could meet, as your partner can't come to the station
– make sure you both repeat all the details to be sure of getting them right!

When you've settled that, change roles.

6 Read this letter, sent to you while you are staying in Noyelles. Explain to a partner in English what the letter is about and what Julien is asking.

> Merci beaucoup pour ta carte postale de Noyelles. Je suis très content de lire que tu viens passer le weekend du 19 au 21 août chez nous à Calais et je sais qu'on va s'amuser. Je joins l'horaire des trains. Il y a une gare à Noyelles où tu pourras prendre un train direct pour Calais. Ecris-moi pour me dire par quel train tu arriveras le vendredi soir, et je viendrai à la Gare Maritime pour te chercher. N'arrive pas trop tard!
>
> A bientôt!
> Ton copain,
> Julien.

7 Write a letter to Julien in reply. You will need to look up the trains from Noyelles to Calais in the timetable opposite.

4 À L'AUBERGE DE JEUNESSE

A youth hostel warden is explaining the hostel rules to two young people.

 1 Which is correct?
i) The young people have just arrived.
ii) The young people are cooking a meal in the kitchen.

 2 a) Which of the boys in the picture are breaking a hostel rule?

b) What are the arrangements for taking a bath?
c) What time is lights out?

 3 What is the couple's reaction, in general, to what they are told?

There are several ways in French to show you've understood what's been said and you've got the message - **oui, d'accord, bon, OK, entendu, bien sûr.**

4 Match up the youth hostel notices with the right symbols.

5 Read the leaflet below. Choose a rule you think should be changed and write a new version of it. Your partner does the same. Then ask questions about the rules to find out which rule has been changed.

Utilisez la poubelle

Interdit de fumer

N'apportez rien à manger ni à boire dans les dortoirs, svp

Extinction des feux à 22 h 30

22·30

CENTRE DES FONTAINES

rue des Fontaines
BP 123
76260 **EU**
☎ 35.86.05.03

```
REGLEMENT INTERIEUR DE L'AUBERGE DE JEUNESSE
*********************************************

INTERDIT :

- de fumer dans les chambres ;
- de jeter sur le sol : papiers, bouteilles vides, emballages,
etc... Une poubelle est mise à votre disposition ;
- de consommer des boissons alcoolisées (vins, bières, apéritifs
etc...) à l'intérieur des chambres.

        L'Auberge ferme chaque soir à 20 H. Vous pourrez sortir jus-
qu'à 24 H puisque la clé de votre chambre ouvre la porte d'Entrée.

        La grille ferme l'Auberge impérativement à 24 H et ouvre
à 8 H le matin.

        Après 22 H, le silence est d'or. Respectez le sommeil des
autres. Pour les douches, il vous est conseillé de les prendre le
soir et non le matin, si vous voulez être sûr d'avoir de l'eau chaude.

        Je vous demande, lorsque vous quittez l'Auberge définitivement
de veiller au rangement, en particulier à la couverture bien pliée
et au couvre-lit remis comme vous l'avez trouvé.
```

On peut ...?
Il faut ...?
On a le droit de ...?

Non, vous ne devez/pouvez pas ...
Oui, il faut .../Non, il ne faut pas ...
Non, il est interdit de...

6 You are staying in a youth hostel in Wales. Write a postcard to your French friend. Describe what it's like to stay there, what the rules are, and what you like and don't like about it.

5 MES ÉMISSIONS PRÉFÉRÉES

An interviewer is carrying out a survey of people's television preferences.

1 Which is correct?
i) He is asking passers-by about the type of programmes they like to watch.
ii) He is asking passers-by which channel they prefer to watch.

2 a) Look at the survey form below. Spot the mistake in the answers noted down for the first interview.

	1	2	3
Films	✓		
Informations	✓		
Sports	✗		
Musique	✗		
Feuilletons	✓		
Jeux	✗		
Documentaires	✗		

b) Copy out the survey form. Then listen to the next two interviews and fill in the answers.
c) Look at the programmes advertised on this page. Which ones are mentioned in the interviews?

Bonne journée! is equivalent to the American expression 'Have a nice day!' It's said as well as, or instead of, *au revoir.*

20.00 Le journal de la Une - Météo
20.30 Tapis vert - Tirage du Loto

22.30 Sports dimanche soir.

11.10 Et avec les oreilles ?
Jeu animé par Frédéric Derieux
Variétés : Héléna Lenkovitch.

19.00 Santa Barbara
Feuilleton américain.
Gina prépare un mauvais coup
Dylan demande à Kelly de le ca
cher.

Jeunes docteurs
Feuilleton australien. Rediffusion.
La nouvelle infirmière a du mal à s'intégrer.

14.45 LA CHANCE AUX CHANSONS
Pour fêter le retour de la nostalgie tous azimuts,
Pascal Sevran consacre cette première semaine
des vacances scolaires aux branchés 60. Avec
Michèle Torr, les Fantômes, les Pirates, Johnny
Hallyday, Ritchy, Sophie, Patricia Carli...

9.05 Bergerac
Série anglaise.

9.40 C'est déjà demain
Feuilleton américain
Travis accompagné de Liza se rend
à Hong Kong à la recherche de son
père.

19.30 La roue de la fortun

3 Which of the three people interviewed seems least interested in television? How do you know?

4 Read these French programme descriptions and then give each one a heading in English from the following:

film   news   sports   music

serial   games   documentary

5 Which of the programmes on this page would you choose to watch? Decide on one, and then see if your partner can guess which it is. They can only ask questions about the types of programmes you watch, until they think they know which title you have picked.

> Tu aimes les jeux?
> Tu regardes les informations?
> Tu préfères les feuilletons?
> Tu t'intéresses aux séries?

6 List the seven types of programme in French in your order of preference. Then compare your list with your partner's list.

7 Investigate the TV preferences of your class. Make out a new survey form like the one opposite. Interview at least five people in your class and fill in their answers.

8 Look at your results from question 7. Which type of programme is most popular? Least popular? Write a brief report in French on what you've found out.

22.35 LA CONQUÊTE DE L'ESPACE
GAGARINE ET LES PREMIERS COSMONAU-TES *(2e partie)*. A travers des interviews et commentaires de nombreux astronautes, la personnalité exceptionnelle de Youri Gagarine, pilote de 27 ans, est mise en évidence.

20.00 JOURNAL

20.00 Gillette World Sport. Magazine sportif international : les temps forts de la semaine à travers le monde.

23.00 CINÉ-CLUB
EL (cycle Luis Bunuel). Drame de Luis Bunuel (1952). Avec Arturo de Cordova, Delia Garces, Luis Beristain -100 mn.
Au cours de la messe du jeudi saint, Francesco, riche propriétaire foncier et catholique pratiquant, tombe amoureux de Gloria. Celle-ci est fiancée à Raoul. Habilement, Francesco réussit à séduire Gloria, et l'épouse. Seulement c'est un vrai paranoïaque...

9.00 | Haine et passions
Feuilleton américain.
Hillary, qui déteste Warren, s'en méfie de plus en plus, et cette fois, ses soupçons paraissent justifiés.

12.05 La spirale fantastique
Jeu présenté par Alain Lagarrigue.
Le principe : deux joueurs, chacun défendu par deux personnalités. Un animateur, une piste, un défi, une spirale électronique remplie de cases. Un chiffre tombe, la spirale se met en marche, arrive à la case et attribue un cadeau, donne un gage, une pénalité, pose une question pour laquelle le concurrent est aidé par les deux personnalités. Tout le monde peut gagner le gros lot et plein de cadeaux.

23.30 Musicales : Stabat Mater, de Pergolese par l'Orchestre philharmonique de Vienne, sous la direction de Claudio Abbado.

6 À NE PAS MANQUER

You are watching television in a French friend's home.

1 Which is correct?

i) The announcer is giving details of the day's programmes.

ii) The announcer is giving details of programmes for the coming week.

2 a) Which of these programmes has been cancelled?

b) If you wanted to watch the following programmes, which channel would you turn to for each programme:

- the France v Scotland rugby match (Five Nations Cup)?
- the documentary on the Galapagos islands?
- the thriller *Sueurs Froides*?

c) Which programme is on at 17.05 and again at 20.30?

d) Which of the programmes will now be shown earlier than advertised? What time will it now be on?

Notice how *à* + the infinitive is used to offer a recommendation: *à ne pas manquer* (don't miss it), *à noter* (make a note).

C+

18.15-20.30 EN CLAIR. **18.15** Flash. **18.18** Top 50. **19.30** Flash. **19.35** Mon Zénith à moi. **20.30 SUEURS FROIDES** Premier téléfilm d'une série de 6. **21.45** Flash. **21.50 BOXE** Kelvin Seabrooks (E. U.) / Fernando Beltran (Mex.).

La5

17.20 Flo et les Robinson suisses : « Les belles tortues ». **17.45** Le tour du monde de Lydie : « Passagers clandestins ». **18.10** Mission impossible : « L'innocent ». **18.55** Journal images. **19.02** La porte magique. **19.30** Boulevard Bouvard Spécial. **20.00 LE JOURNAL 20.30** Dallas : « Les cloches sonnent ». **21.25** Inspecteur Derrick. **22.30** Superminds. Au cœur du temps. Cosmos 1999. Childéric.

3 Which of the programmes mentioned would you choose to watch? Why?

4 Films, children's programmes and news programmes - find as many as you can for each category. Then compare them with your partner. How did you both arrive at your selections?

5 With your partner, decide on an evening's viewing and note down your viewing timetable.

À ... heures, il y a ... sur TF1.
Je voudrais voir ... à ....

TF1

18.05 Trente millions d'amis, de Jean-Pierre Hutin. **18.35** Mannix : « Balade pour nulle part ». **19.25** Marc et Sophie.

20.00 JOURNAL

20.30 Météo. Tapis vert. Tirage du Loto.

20.45 INTERCONTINENTS

Emission-jeu présentée par Guy Lux, Simone Garnier et Claude Savarit.

22.15 COMMISSAIRE MAIGRET

FR3

17.05 Le Disney Channel, présenté par Vincent Perrot. Winnie l'Ourson, dessins animés. **18.00** Feuilleton. Diligence express : « Le voyage surprise ».

19.00 LE « 19-20 »

19.10 Actualités régionales. **19.30** Le 19-20 (suite). **19.50** Il était une fois la ~~vi~~e : « La vaccination ». **20.02** La ~~cl~~asse, présentée par Fabrice. **20.30** ~~D~~isney Channel : La bande à Picsou. ~~2~~1.00 Le chevalier Lumière.

~~2~~1.55 SOIR 3

~~2~~.10 Le divan, d'Henry Chapier.

M6

15.35 Destination danger. **16.25** Danarama. **17.10** La clinique de la Forêt noire. **18.00** Le journal. **18.10** Météo 6. **18.15** La petite maison dans la prairie. **19.00** Paul et Virginie. **19.30** Mon ami Ben. **19.54** 6 minutes. **20.00** Le frelon vert.

20.30 LE PRISONNIER

ECHEC ET MAT. Les échecs sont un jeu subtil, et le prisonnier se demande dans quel dessein il est invité à prendre part à un jeu inhabituel organisé dans le village. L'échiquier recouvre entièrement la cour et les pions sont des hommes que dirigent à leur gré deux responsables du jeu. Le prisonnier se place sur l'échiquier, à côté de la reine.

21.20 Poigne de fer et séduction.

21.50 Clair de lune. **22.40** Portraits crachés. **23.10** Journal. **23.20** Météo 6. **23.25** Destination danger. **0.15** Danarama. **1.00** Boulevard des clips.

A2

17.55 AH ! QUELLE FAMILLE

LA BELLE ÉPOQUE. Dennis Clary, le jeune adjoint de Chad qui courtise sa fille, prend des risques inutiles en voulant jouer au héros. Chad demande au capitaine Hughes de mettre fin à leur collaboration...

18.25 Entre chien et loup, d'Allain Bougrain-Dubourg. **19.05** Magazine INC. **19.10** Actualités régionales. **19.35** Bêtes à malices, avec Fabrice et ses invités : William Leymergie, Roger Pierre, Douchka, Piem.

20.00 JOURNAL
20.35 CHAMPS-ÉLYSÉES

Michel Drucker. Avec Sylvie Vartan, les Communards, Demis Roussos, Michel Jonasz, Michel Bouquet, les Nuls, etc.

22.15 DEUX FLICS À MIAMI

LE BORGNE. Barbara Garrow, une ancienne camarade de classe de Sonny Crocket, est endettée et menacée par des racketeurs. Elle parvient à réunir une partie de la somme et se rend chez un « bookmaker » surveillée par les deux « flics »...

6 Because of an extended news report, programmes on TF1 are running thirty minutes late. How does this affect your viewing timetable? Check with your partner. You might wish to make some changes as a result.

Il y a un changement d'horaire.
... n'est plus à ... heures. Ça
commence maintenant à ...

7 Your French friend will be arriving back from an evening out especially to watch *Deux flics à Miami* at 10.15 p.m. As you're going out, leave a message explaining that programmes are running late and giving the new time for the programme.

7 VOUS AVEZ UN GÎTE À LOUER?

A French woman you know is phoning the owner of a holiday home to help you find accommodation in France for the summer.

VACANCES WEEK-ENDS
— *EN LIBERTÉ*

avec les

GITES DE FRANCE CALVADOS

Gîtes ruraux - Chambres d'hôtes - Campings-
Caravanings - Gîtes d'enfants - Gîtes d'étape
Gîtes de groupe — Gîtes équestres - Fermes-
Auberges

INFORMATIONS - RÉSERVATIONS :
31 82 71 65

Minitel : 36 14 Code GIT14
6, promenade de Mme de Sévigné - 14039 CAEN CEDEX

CHAMBRES D'HOTES

1 Which is correct?
i) Your friend decides the *gîte* would not be suitable.
ii) Your friend arranges to go and see the *gîte*.

2 a) You can afford up to 1,000 francs a week. Is the *gîte* in your price range?

b) What information is given about the following:
- local shops?
- a garden?
- heating?

c) What is missing from this sketch plan of the *gîte* your friend has sent you?

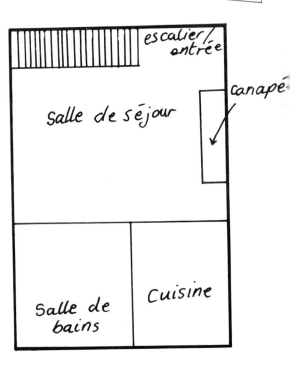

escalier / entrée

Salle de séjour

canapé

Salle de bains

Cuisine

*French phone numbers are made up of eight figures. They are always said as four two-figure numbers. For example, 28 66 70 68 - **vingt-huit, soixante-six, soixante-dix, soixante-huit.***

3 What impression of the *gîte* owner do you gain from the conversation?

rue Jules Gaffe
80230 St Valery
Maison 3 pièces avec cour et jardin pour 6 personnes à Lanchères (7km de St Valery - 6km de Cayeux) avril à septembre (week-end, semaine ou mois)

rue de Rainvilliers
Boismont
80230 St Valery
Gîte rural de 6 pièces dans grande propriété avec jardin + logement et promenades pour chevaux à 4km de St Valery

rue Marcel Cholet
80220 Arrest
Gîte rural de 5 pièces – proximité d'une ferme avec cour et pelouse (1 chambre avec 2 lits 1 pers. 1 ch avec 1 lit de 2 pers. + 1 cochage enfant) à 8km de St Valery

Ponches-Estruval
80150 Crécy en ponthieu
Chalet pour 4 pers. (4 lits de 1 pers.) situé à Bellavesnes hameau de Tœufles 80870 Moyenneville à 15km de St Valery - Vacances - Week-end - Vaste terrain

55 rue de Rainvillers
Boismont
80230 St Valery
Gîte rural : jolie maison de plein pied pour 3 pers. entre cour fermée et jardin 4km de St Valery

4 You would like to rent a *gîte* either with friends or your family. Look through these adverts and pick out the one you find most suitable.

5 Now describe your chosen *gîte* to your partner. Answer any questions they ask you about it.

> **Combien de pièces y a-t-il?**
> **Il y a un jardin?**
> **Est-ce qu'il y a un/une ...?**

---

6 Telephone the owner (your partner) to arrange a time to come and look round the *gîte*. Find out anything else you want to know about (local facilities, reductions for longer stays, etc.).

> **Je téléphone au sujet de votre gîte ...**
> **Est-ce qu'il y a un/une/des ... dans la région?**
> **Est-ce qu'il y a des réductions ...?**
> **Est-ce que je pourrais passer le voir ...?**

---

7 Use the booking form (right) as a guide to writing a letter confirming your booking.

Fiche de réservation

Nom et adresse du gîte ....
....
....

Monsieur/Madame

Nous sommes.......... adultes et.......... enfants (.......... filles âgées de.......... ans et.......... garçons âgés de.......... ans).

Nous désirons réserver le gîte pour un séjour de.......... nuits, commençant le.......... à.......... heures et se terminant le.......... à.......... heures.

Je vous serais obligé(e) de me répondre à l'adresse ci-dessous, me confirmant vos conditions et tarifs concernant ce séjour:

(Nom)..
(Adresse)..
....
....
....

Avec mes remerciements,
....(signature)

N'oubliez pas de joindre un coupon-réponse international pour la réponse.

---

8 VOICI LA CUISINE

The owner of a *gîte* is explaining where things are.

1 Which is correct?

    i) The owner knows where everything is.

    ii) The owner isn't sure where some things are kept.

2 a) Which key would you use to open the front door of the *gîte*?

b) Where would you look for each of the following:

- cooker switch?
- pans?
- rubbish bin?
- knives, forks, spoons?
- plates, cups, bowls?
- food?

Give the number for each item on the diagram above.

c) Which of these items do you need to buy:

*Before an **e** or an **i**, a **g** is always pronounced softly. Listen to the way the speaker pronounces these words: **gîte, village, boulangerie, partager, région.***

3 Do you think the kitchen of the *gîte* is well-equipped for a holiday home? Are there any other things you would need to know about that the owner hasn't explained?

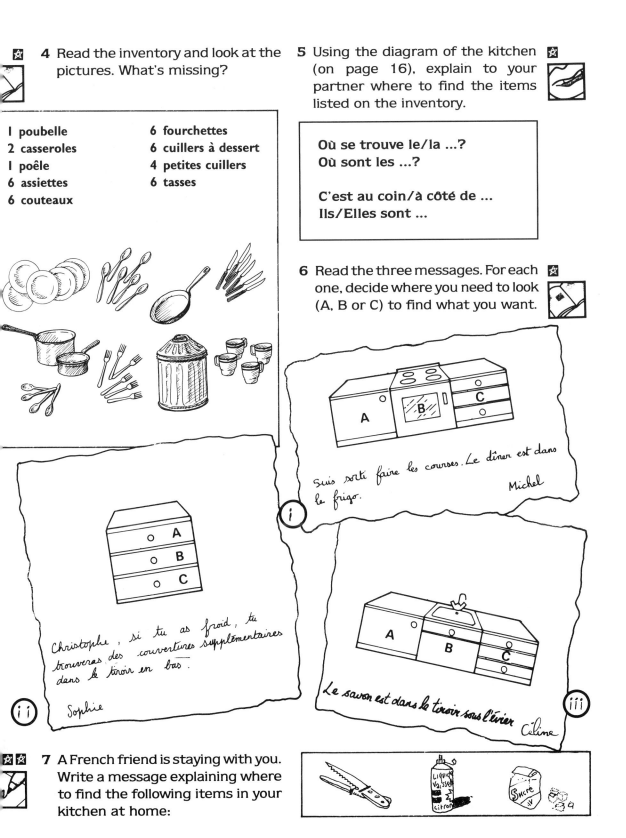

4 Read the inventory and look at the pictures. What's missing?

1 poubelle
2 casseroles
1 poêle
6 assiettes
6 couteaux

6 fourchettes
6 cuillers à dessert
4 petites cuillers
6 tasses

5 Using the diagram of the kitchen (on page 16), explain to your partner where to find the items listed on the inventory.

Où se trouve le/la ...?
Où sont les ...?

C'est au coin/à côté de ...
Ils/Elles sont ...

6 Read the three messages. For each one, decide where you need to look (A, B or C) to find what you want.

i Suis sorti faire les courses. Le dîner est dans le frigo.
Michel

ii Christophe, si tu as froid, tu trouveras des couvertures supplémentaires dans le tiroir en bas.
Sophie

iii Le savon est dans le tiroir sous l'évier
Céline

7 A French friend is staying with you. Write a message explaining where to find the following items in your kitchen at home:

9 JE PEUX LAISSER UN MESSAGE?

 Three people make a phone call and leave a message, as the person they want to speak to is not in.

 1 Which of the three conversations (1, 2 or 3) is about:

a) a coach journey?

b) a car which has broken down?

c) the time and place of a cine-club meeting?

 2 a) Is all the information in the note correct (below right)?

b) Where is Éric? Why will he be late?

c) Why should Monsieur Landais get the coach from Perth to Edinburgh?
At what time is there a coach leaving Perth for Edinburgh?

 3 Which of the three conversations (1, 2 or 3) is between people who know each other?

> Michel
> Annick Dassin a téléphoné. Il y a une réunion du ciné - club mardi soir à 19 h. chez Pierre : avenue de la Poste, 3e étage.

*There are one or two French words which are misleading because, although they look like English words, they don't mean the same thing. When a French person says **un car**, they mean a coach or bus. (The word for a car is **une voiture** or **une auto**.)*

4 Look at pictures A, B and C. You need to let them know at home what has happened. Make a phone call to your neighbour asking them to pass on a message for you. Work out with a partner what you could say.

A

B

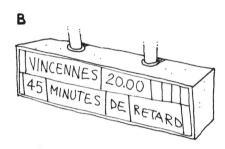

C

Comité du Club de Tennis
Réunion annuelle
Samedi 7 janvier à 15 h 30
Salle des Fêtes

> Qui est à l'appareil?
> Je peux laisser un message pour ...?
> Pourriez-vous lui dire que ...?

5 Read the letter. Franck decides to telephone Nadine to explain the situation. Work with a partner: one of you is Franck, the other answers the phone and takes a message for Nadine.

6 Write out the message you need to leave for Nadine after Franck's telephone call. Start like this:

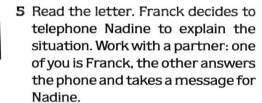

Nadine
Franck a téléphoné. Il ne peut pas ...

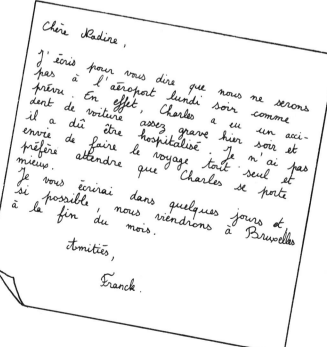

Chère Nadine,

J'écris pour vous dire que nous ne serons pas à l'aéroport lundi soir comme prévu. En effet, Charles a eu un accident de voiture assez grave hier soir et il a dû être hospitalisé. Je n'ai pas envie de faire le voyage tout seul et préfère attendre que Charles se porte mieux.
Je vous écrirai dans quelques jours et si possible, nous viendrons à Bruxelles à la fin du mois.

Amitiés,

Franck.

10 PARLEZ-VOUS DES LANGUES ÉTRANGÈRES?

A student is asking about holiday language courses.

1 Which is correct?

i) The receptionist has no brochures but gives the student some details of courses.

ii) The receptionist gives the student some brochures and an application form.

2 a) Which course is the student interested in?

i) Spanish for beginners

ii) Advanced Spanish

iii) English for beginners

iv) Intermediate-level English

b) Make notes on the following:

- length of course
- hours of lessons per day
- size of class
- type of accommodation available.

c) The student will not be free until 15th July. Which of the two courses mentioned would be better for her? Give the starting date.

*Sometimes you can make listening a bit easier by thinking ahead. From the title and introduction to this unit, could you have guessed that you might hear words like **langue, cours, espagnol, classe. niveau, étudiant(e), dates, prix, tarif**? Before starting work on another unit, try predicting what words you might hear before you listen to the cassette.*

Recherche pour me seconder JH/JF 21-25 ans. Salaire moyen 9 500 F. Tél. 47.00.21.43.

■ 1365 - **CHERCHE du 7.07.** au 12.08. secrétaire trilingue, allemand, français, anglais, pr filiale de Lafarge à Duisbourg (RFA), contact, bon niv. allem., com. dactyl. – Tél. 73. 26.30.06 (après 18 h.).

TRADUCTEURS/RÉVISEURS

De langue maternelle française, vous devez faire valoir une expérience positive en traduction et en revision de manuels d'utilisation, messages guide-opérateur, cours programmes, etc. à partir de l'anglais ou de l'allemand vers le français.

Traductions Europe, 2 rue de la Paix, 34o26 MONTPELLIER Cedex

Recrute pour la rentrée d septembre **PROFESSEURS** dans les domair suivants: Mathématiques Sciences Physiques Informatique Économie Langues vivantes: Ang Allemand

Envoyer CV détai salaire actuel: Di Générale, 21 rue S 13001 Marseille

Société recrute **HOTESSES D'ACCl** notion anglais, espagnol p Téléphoner pour rendez-voe 47.74.99.66.

GROUPE INDU recherche **REPRESENTANT H** pour développer clientèle Région parisienne Salaire: 9 à 12.000F/r Tél. au 34.55.35.62 pour

Postes à pourvoir immédiatement

* **OPÉRATEUR/OPÉRATRICE sur ordinateur IBM PS pour gestion des commandes.** Parfaitement bilingue italien.

* **SECRÉTAIRE assistant(e) du responsable du service après-vente.** Parfaitement bilingue italien.

Écrire au journal qui transmettra (Ref. OS/IT).

Agence publici **SECRÉTA D'AGE** pour travail te Débutants ac Tél. 60.70.4:

3 What do you think would be the good points about a language course of this kind?

Chaîne Automobile recherche pour son service commercial **SECRÉTAIRE-DACTYLO** aimant l'automobile et le contact client Se présenter sur rendez-vous

SOCIÉTÉ DE TRANSPORT cherche **EMPLOYÉ(E)** parlant couramment anglais pour contacts permanents avec clientèle et agences étrangères. Tél. au 46.56.32.01.

VOS VACANCES LINGUISTIQUES

LIGUE FRANÇAISE DE L'ENSEIGNEMENT

EN FAMILLE

DISTRICT DE LONDRES - Surrey Grande-Bretagne

13/15 ANS - 15/17 ANS

TOUSSAINT ET NOËL EN FAMILLE ANGLAISE

TRANSPORT : Paris-Londres-Paris par train. En autocar pour les transferts et les excursions. **HÉBERGEMENT :** En pension complète dans une famille sélectionnée. Un seul Français par famille. **ACTIVITÉS :** Toussaint : Une visite de Londres, une excursion à Windsor ou Hampton Court, un après-midi dans un centre sportif. Noël : Une journée à Londres avec visite des principaux monuments et déjeuner au restaurant. Un spectacle. Pas de cours assurés.

PARIS / PARIS : TOUSSAINT : Du 28/10 matin au 03/11 soir : 1 770 F NOËL : Du 22/12 matin au 02/01 soir : 2 530 F

 4 Read the job adverts on these pages and work out if they are asking for someone who speaks foreign languages, and if so, which languages.

 5 Interview a partner about how well they speak the languages listed. Then swop roles.

> **Tu parles l'espagnol couramment, bien, un peu ou pas du tout?**
> **Je le parle un peu.**
> **Est-ce que tu parles d'autres langues?**
> **Je parle aussi ...**

	couramment	bien	un peu	pas du tout
allemand				
anglais				
chinois				
espagnol				
français				
gallois				
gujurati				
italien				
russe				
d'autres langues				

6 Read the advertisement about holidays in England. Work out a conversation with a partner: one of you is a French teenager interested in going to England at Christmas; the other one answers, using information from the advertisement.

> **Ça dure combien de temps?**
> **Il y a combien d'heures de cours?**
> **On loge dans un hôtel?**
> **Il y a des activités organisées?**

7 You have seen this advertisement while in France. Write a letter in French to find out more (dates, accommodation, activities planned ...). If you know some German already, say what your level is.

MARBURG - Hesse - R.F.A.

15/19 ANS

NOËL EN FAMILLE ALLEMANDE

11 UN JOB POUR LES VACANCES

> You are listening to a French radio programme about holiday jobs.

1 Which is correct?

i) The programme is for people looking for a job.

ii) The programme is for people looking for a job **and** for employers who have a job to offer.

2 a) Note down details of the three jobs offered, under the following headings:

Type of job?
Qualities needed?
Experience needed?
Age?
Hours?
Wages?

b) Now note down details of the young people looking for work. Use a chart like this:

3 a) Using the information you wrote down in question 2, say whether any of the jobs on offer would suit any of the four people looking for work.

b) Which of the jobs would you yourself prefer?

	Age	Type of Job	Experience	Hours
Stéphan Beccaria				
Valérie Dibango				
Isabelle Louré				
Frédéric Vidal				

*In French, when a word ending in **s** or **x** is followed by a word which starts with a vowel, the **s** or **x** usually sounds more like a **z**. Listen out for **chers auditeurs** and **dans un(e)** . . .*

PETITES ANNONCES

Coursier
possédant mobylette
Tél. 46.56.33.24

Photo Mobile
recherche
Photographe de Plage
Laborantin Photo
Tél. 83.67.05.29

Supermarchés
recherchent
Caissiers/Caissières
42.61.81.03

Urgent
producteur
auditionne
**Chanteurs/
Chanteuses**
possibilité disques
Tél. 48.57.61.31

Recherche **Figurants**
tous âges hommes,
femmes, enfants,
débutants acceptés.
46.24.12.33

Cherche **Serveur** ou
Serveuse
pour restaurant
Temps complet ou
partiel
Tél. 30.56.54.41

4 Look at the job adverts on these pages. Arrange the jobs into:
- those you might be interested in
- those you would not want to do.

Then choose one and note down the details in English: the type of job, hours and wages.

Interested	Not interested

5 Interview your partner about the job they chose in question 4. Start by asking their name, age and address and then ask about the type of job, hours, wages, and any other details.

> **Qu'est-ce que c'est comme travail?**
> **Tu fais combien d'heures par semaine?**
> **Tu gagnes combien?**

Hôte/Hôtesse Accueil
Bonne présentation, anglais correct
Travail: lundi au vendredi
en après-midi (15h-20h)
Étudiants possible.

Grèce. Famille franco-grecque cherche personne au pair septembre à juin. Blassoples – Theodosiou 21 – Glyfada.

Job Sympa
recherche coursiers-livreurs
pour pizzas
région parisienne
moto fournie
30 F/l'heure
Tél. 42.40.99.88

2 Vendeurs-ses Chaussures Kickers
– 1 à tps complet à l'année
– 1 période vacances
S'adresser Quatre Temps, La Défense

Poseurs d'Affiches Chez Commercants
Tel. 48.15.47.23

Pour financer vos vacances et gagner des billets d'avion faites du
Télémarketing
à temps partiel
de 18h à 21h ou de 7h30 à 10h30
Téléphonez vite au 03.00.78.34

Servirail
recrute
Hôtesses
Stewards
Vendeurs Ambulants
disponibles vendredi, samedi, dimanche pour faire le service de restauration à bord des trains. Se prés. Cour des Arrivées, Gare d'Austerlitz, 75013 Paris.

Distribuez des quotidiens
2 heures par jour
Se prés. Gare de l'Est à 6h 30

Recherche personne sérieuse pouvant prendre à l'école et ramener à domicile 2 enfants de 4 et 5 ans, lundi, mardi, mercredi (facultatif), jeudi, vendredi à partir de septembre. Durée trajet: 15 minutes.
Rémuneration à convenir. Écrire au journal. Réf. 90157.

Étranger
Couple français, résidant en Allemagne, cherche jeune personne pour garder bébé trois mois, à son domicile, toute la journée, petit ménage et repassage.
Totalement libre le reste du temps.
Céline Roux, Secteur Postal 69475.

6 You'd like to find a holiday job in France to help you improve your French. Write a letter to Daniel Marianni, the presenter of the programme you heard earlier, to be read out over the air in a future programme. Give details about yourself and the sort of holiday job you are looking for.

Cher Daniel, Je m'appelle ... et j'ai ... ans. Je cherche un emploi ...

12 VACANCES AU CAMPING

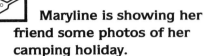

 Maryline is showing her friend some photos of her camping holiday.

 1 Which is correct?
i) Maryline enjoyed the holiday.
ii) Maryline did not enjoy the holiday.

2 a) Arrange the pictures in the order in which they are mentioned.

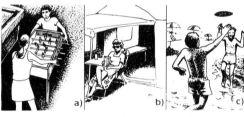

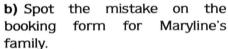

b) Spot the mistake on the booking form for Maryline's family.
c) What was wrong with the washing facilities?
d) Which of these games were available in the games room?

FICHE DE RÉSERVATION D'UN EMPLACEMENT D'UNE TENTE OU CARAVANE
Détails du groupe
Adultes: 2
Enfants (moins de 18 ans): 3
Animaux: 1
Véhicule: 1

 3 Do you think the site sounds a good one?

4 Look at the extract from a leaflet about campsites. Work with a partner. Choose one of the sites shown, describe the facilities to your partner and see how long it takes for them to guess which site you are talking about.
Then swop roles.

*** **Camping de la Claire Fontaine**	⌂ F C ⊕ ✕ ⊂ ⬆
Deauville-Camping	⌂ F C ⚲ ⊕ ✕ ⊂ ⬆
*** **Le Petit Viking**	⌂ F C ⚲ ⊕ ✕ ⬆ ⬆
** **Les Tilleuls**	⌂ F C ⊕
* **Camping Ferme du Golfe**	⌂ C ⊕ ⊂ ⬆

ÉQUIPEMENT ET CONFORT DU TERRAIN

⌂F Douches froides
⌂C Douches chaudes
⚲ Salle de réunion
⊕ Terrain de jeux
✕ Restaurant sur place
⊂ Ravitaillement sur place
⬆ Location de bungalows ou de caravanes
⬆ Location de matériel de camping
⬆ Ombrage moyen
⬆ Très ombragé

> **Il y a un restaurant sur place, et des douches...**
> **On peut louer ...**
> **Le camping est ombragé ...**
> **Il a deux étoiles.**

5 Take turns with your partner to talk about one of the pictures on the right. Tell him or her what the picture shows, as if it were a photo from your holiday.

6 Write down the information you would need to put on the booking form below, if you were going on a camping holiday with your family for one week in August.

CONTRAT DE RÉSERVATION

Nom .... Prénom ....

Adresse ....

Réservation du .... au .... 19 ....

Adultes .... Voiture ....

Enfants .... Nombre de jours ....

Emplacement(s) .... Animaux ....

---

13 UNE VOITURE DE LOCATION

You are waiting in the queue at a car hire office and overhear various customers talking to the agent.

1 Which is correct?
i) The customers are complaining.
ii) The customers are making enquiries.

2 You can answer some of your own queries with the information you overhear.

a) How old do you need to be to hire a car?
b) Will it cost extra if you leave the car at your destination?
c) Are the following included in the price:
- insurance?
- taxes?
- petrol?
d) What is the daily rate for a Renault 5?
e) Are road maps provided?

3 How do you think the British customers (in the final conversation) feel about driving in France?

Astuce

*After a negative question (e.g. **Vous n'avez pas de Polo?**), the French say **si** instead of **oui** to mean yes. See how many examples of this you can hear in the conversations in the car-hire office.*

4 Read the car hire brochure below and find a suitable car for the following people:
a) a young man wanting the most economical car to hire
b) a wealthy businesswoman
c) a family of five with a lot of luggage
d) a young couple with a budget of 300 francs per day.

5 Choose a car and note down the name. Then work with a partner and try to find out which car you've each chosen. Describe the car, giving away one piece of information at a time as a clue.

C'est une voiture moyenne.
Elle a une radio.
C'est une deux portes.
Elle est/n'est pas automatique.
Elle coûte ... par jour, hors taxes/toutes taxes comprises.

6 You need to hire a car for your holiday in France. Write a letter to a car hire firm in Calais, to arrange for a car to be ready for you when you come off the ferry. Include the following information, and start off as shown in the example.

Marque et modèle: Renault 5
Portes: 2
Dates de location: 1 à 4 septembre
Point de location: Calais
Point de retour: Bayonne

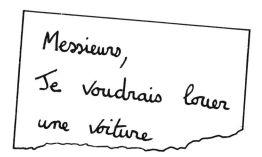

Catégorie		Marque et modèle		Portes	Places	Par jour	
		BOITE MÉCANIQUE					
Économique	A	Opel Corsa VW Polo ou similaire	♫	2	4	H.T. T.T.C.	190,00 237,50
	B	Renault 5 ou similaire	♫	2/4	4	H.T. T.T.C.	210,00 315,50
Moyenne	C	Renault 11 VW Golf Opel Kadett ou similaire	♫	4	4/5	H.T. T.T.C.	363,90 485,20
Routière	E	Renault 21 Audi 80 ou similaire	🖴 ♫	4	4/5	H.T. T.T.C	450,00 603,00
	F	Opel Omega 2L GLI Renault 25 GTS Audi 100 ou similaire	🖴 ♫	4	4/5	H.T. T.T.C.	802,50 1070,00
	H	Mercedes 190 E (ABS) ou similaire	🖴 📻	4	4	H.T. T.T.C.	1116,00 1488,60
Petite	D	VW Golf automatique Renault 5 1400 automatique ou similaire	♫	4	4	H.T. T.T.C.	572,50 750,00
Moyenne	G	Opel Omega 2 GLI automatique ou similaire	♫	4	5	H.T. T.T.C.	733,50 1110,00
Luxe	M	Mercedes 260 E automatique (ABS) ou similaire	✳ 🖴 📻	4	5	H.T. T.T.C.	900,00 1200,00
	I	Mercedes 300 SE automatique[1] (ABS) ou similaire	✳ 🖴 📻	4	5	H.T. T.T.C.	2178,50 2890,00

ABS Système de freinage anti-blocage. 📻 Radio cassettes   🖴 Grand coffre · ♫ Radio · ✳ Air conditionné
H.T., Hors Taxe - T.T.C., Toutes Taxes Comprises à 28%

14 FAITES CONNAISSANCE

You are staying with a friend in France. At a party, a girl starts talking to you.

 1 Which is correct?

i) The girl talks about some of the people at the party and says where she lives.

ii) The girl doesn't know anyone at the party and asks you about them.

 2 a) Which person in the picture above is:
- Michel?
- Stéphanie?
- Marianne?
- François?

c) Could you find Caroline's house? Which number is it on this sketch map?

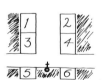

b) Who do you think this bag belongs to?

d) What does Caroline's house look like? Note down as many details as you can (five maximum).

e) What does Caroline invite you to?

Hein?, n'est-ce pas?, oui?, non?, quoi? are often added to the end of a statement when people are talking, to check the other person is listening and has understood.

3 How might you describe Caroline's personality?

4 Study the photos and read the descriptions below. Which photo shows Laurent? Which is Élisabeth?

a)

b)

Laurent est très sympa. Il a dix-huit ans et il a les yeux bruns et les cheveux noirs, assez bouclés. Il porte toujours un jean et une veste en cuir.

c)

d)

Élisabeth est gentille mais un peu timide. Elle a seize ans. Elle a les yeux verts et les cheveux blonds, très longs. Elle aime le sport et porte souvent un grand sac de sport.

5 Imagine that someone in the photos above is a friend or a member of your family. Describe him or her to your partner, as fully as you can, and then see if your partner can tell who you've chosen. Then swop roles.

Mon cousin s'appelle Alain, il est grand .../Ma cousine s'appelle ..., elle est ...
C'est mon copain/ma copine ...
Il/Elle porte ... Il/Elle aime ...

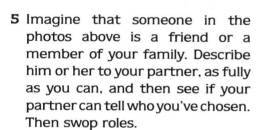

6 Working with your partner, choose one of the homes shown above and make up a description of it together. Give as many details as you can.

7 Write a description in French of a well-known celebrity and pass it to your partner to guess who it is. Include details of age, nationality, occupation, physical features, personality, etc.

15 ON PREND RENDEZ-VOUS

Your French friend has asked you to listen to his answerphone and give him any messages.

1 What are the calls about?

Message 1
i) a trip to Ireland
ii) a penfriend's arrival in France

Message 2
i) a visit to the cinema
ii) a football match

Message 3
i) arranging to get together before a meeting
ii) arranging to get together after a meeting

Message 4
i) a hospital appointment
ii) a dental appointment

2 a) Your friend cannot meet Patrick and asks you to go instead. Note down the day and the time.

b) Will you recognise Patrick? Which of these two boys do you think is him?

mercredi

14 h. interview École Polytechnique

jeudi

7 h. 30 réunion Amis de la Terre

vendredi

10 h. dentiste

samedi

18 h. chez Alain

c) Copy out the page from your friend's diary. Cross out the appointment that has been cancelled and write in the new meetings or appointments.

*Allô is only used on the phone. It's never used to greet someone when you meet them. Listen to how the three callers introduce themselves (**Ici . . ./. . . à l'appareil.**).*

3 For each of the calls, say whether the tone is formal or informal.

ARRIVE   AEROPORT   10H10
LUNDI - AGATHE

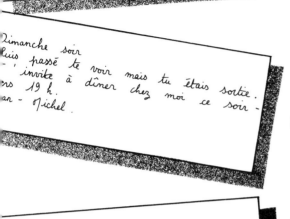

Dimanche soir
..uis, passé te voir mais tu étais sortie.
... invite à dîner chez moi ce soir -
..rs 19 h.
..an - Michel.

Monsieur et Madame Moulin
ont le plaisir
de vous inviter à
un bal en l'honneur des fiançailles
de leur fille AURORE
avec
Monsieur SÉBASTIEN DE LISLE.
Samedi 14 juin à 21 heures
Hôtel du Vieux Manoir, Rougemont.

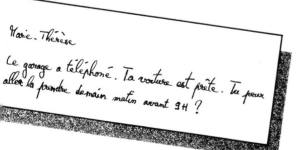

Marie - Thérèse

Le garage a téléphoné. Ta voiture est prête. Tu peux
aller la prendre demain matin avant 9H ?

CABINET DENTAIRE LEVALLOIS
Votre prochain rendez-vous sera le:
10 mai à 11h 25

4 Work with a partner. Close your book. Your partner chooses a message or invitation on this page and reads it out. Note down the important details. Check together that the message has been understood.
Then you read out one of the other messages for your partner to note down.

5 Draw up a diary page for a whole week (**lundi-dimanche**). Fill in on the right days the appointments shown on this page. (Write the key words only).

6 Look at the pictures. You want to telephone three friends to invite them each to one of these activities at the weekend. They are often out, so you may have to leave messages on the answerphone. Work out with a partner what you will say: include the time and place of the event, and practise until you can say the whole message without hesitating.

16 L'INSTALLATION

A woman is speaking to a removal man outside her house.

1 Which is correct?

i) The woman is moving out and telling the man which items of furniture to load into the van.

ii) The woman is moving in and telling the man where various items of furniture need to go.

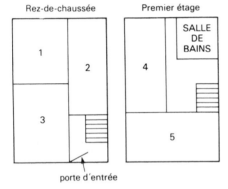

Rez-de-chaussée   Premier étage

	SALLE DE BAINS
1	
2	4
3	5

porte d'entrée

(handwritten note:)

grande armoire
petite armoire
chaîne – stéréo
table noire
quatre chaises
congélateur
fauteuils
poste de télévision
draps, couvertures, oreillers
miroir .

2 a) Look at the floor plan of the house (above) and work out where each of these rooms is:

la chambre à coucher des parents
la chambre des enfants
la salle de séjour
la salle à manger
la cuisine

Match up the rooms with the numbers.

*You will often hear the word **ça**. It is the shortened form of **cela** and it is more common in conversation than in written French.*

b) Where will the furniture go? Match up each item listed above with the room where it will go.

c) Which of the items of furniture pictured on page 33 does the woman need to buy for the new house?

3 Do you think the removal man is quick to understand?

4 Read the small ads taken from a newspaper. What items are being sold? For each ad, make a note of the item and the price (in francs).

MOBILIER DIVERS

305720B **VD TABLE DE FERME EN CHENE** 2mX0.75 épaisseur plateau 8cm.

305728B **CANAPE 2 PLACES** + 2 fauteuils tissu vieux rose gris blanc état neuf 5000F.

305789B **VD CANAPE /PL + 2 FAUTEUILS** Louis 15 velours beige fleurs roses 6000F cuisinier El Dietrich 4pl. four autonettoyante 800F.

305984B **VD CANAPE LIT** 2 fauteuils 1 table velours noir le tout 2200F.

305992B **VD REFRIG. CONGEL 1700F** canapé pin 700F + chevets 1300F matelas 600F arm. rangt. 800F.

202226J **VDS REFRIGERA-TEUR** 1m50 300F meuble hifi TV 250F armoire sèche linge 300F buffet cuisine blanc 250F.

305859B **CSE D. VD TABLE RONDE** + 4 chaises paillées hêtre 1200F état neuf val. 3000F.

306119B **VD ARMOIRE 3 PORTES** coulissantes centrale: miroir L=2m H=2.30m couleur bois naturel px 3000F (neuf 5500F.

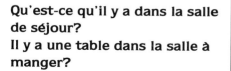

5 Copy out the floor plans on the opposite page. Work with a partner. One person marks in five items of furniture; the other asks questions to find out what is where, marking each item on their own plan. When you've finished, compare plans. Then swop roles and start again.

> **Qu'est-ce qu'il y a dans la salle de séjour?**
>
> **Il y a une table dans la salle à manger?**

6 Write a description of your bedroom. Include as much detail as possible: where it is in the flat or house, the furniture, the decor, and so on.

17 EN ATTENDANT LE MÉDECIN

A doctor is speaking to her receptionist.

DOCTEUR M. RUNÈS
MÉDECINE GÉNÉRALE
1ᵉʳ ÉTAGE GAUCHE

1 Which is correct?

i) They are discussing the people in the waiting room and the times of their appointments.

ii) They are discussing the people in the waiting room and what's wrong with them.

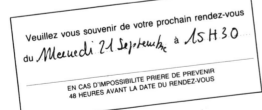

Veuillez vous souvenir de votre prochain rendez-vous
du *Mercredi 21 Septembre* à *15 H 30*

EN CAS D'IMPOSSIBILITE PRIERE DE PREVENIR
48 HEURES AVANT LA DATE DU RENDEZ-VOUS

2 a) Which of the people in the waiting room is Madame Martineau?

b) Which is Jacques Bosquet? What is wrong with him?

c) Which of the following symptoms does Mademoiselle Fabre have:

- a sore throat?
- a bad cold?
- a high temperature?
- tiredness?

d) What is wrong with Frédéric Gautier? Is it serious?

Astuce

À mon avis is used to give a personal opinion, like je pense que . . . and je crois que . . .

3 What is the receptionist's attitude to the people in the waiting room?

4 Look at the photo, then read the description. Is the man in the photo Yvan Ledésert?

Nom: LEDÉSERT Yvan.
Description: Il est petit et un peu trop mince. Il a une barbe et porte des lunettes. Il a l'air fatigué.

5 With a partner, describe what's wrong with each of the people shown in the pictures on the left.

6 Take on the role of one of the people in the illustration: your partner is a doctor. Work out how the conversation might go.

> **Qu'est-ce qui ne va pas?**
> **J'ai mal ...**
> **... me fait mal**
> **Depuis quand? Ça s'est passé quand?**

7 You're meant to be going hiking tomorrow, but you don't feel at all well. Write a short letter to the friend who invited you, to explain what's wrong and why you can't go. If you wish, use one (or more) of the problems illustrated.

Chère Monique,
Je suis désolé(e). Je ne peux pas aller me promener avec toi demain parce que ...

18 MON ANIMAL PRÉFÉRÉ

Two teenagers are talking about the pets they own.

1 What animal does Claire have as a pet? And Patrick?

2 a) Which of the following descriptions are true of Claire's pet, and which are false?
- a good companion
- not very good with children.
- can do tricks
- eats too much
- is very active
- is very quiet.

b) If you wanted a pet that was cheap to feed and didn't make much noise, would Véga suit you?

c) Which of the photos shows Popeye?

d) What good and bad points does Patrick's pet have?

3 Who seems to be more positive about their pet, Claire or Patrick?

Astuce

The French say their 'r's at the back of the throat, with the lips in a 'smile'. Listen to these words and copy the pronunciation: **très, promener, bruit, vétérinaire, gris(e), fourrure, souris, ronronnement.**

1

2

3

4

4 The letter extracts (below) were written by Claire and Patrick. Who wrote which one?

Par exemple, la semaine dernière, il est parti tout d'un coup et je ne l'ai pas revu pendant trois jours! Je croyais qu'il avait eu un accident. Puis un matin, il était là, dans la cuisine (il entre toujours par la fenêtre) et, tu sais, il m'apporte une grosse souris pour s'excuser!

On a beaucoup de problèmes avec les voisins en ce moment, à cause de Véga. Le soir il aboie, et le matin aussi, surtout quand il veut sortir. En plus, il s'est battu la semaine dernière, avec le chien des voisins d'en face. Ça m'a choquée, il est toujours si gentil!

5 What else are we told about the two pets in the letter extracts, that is not mentioned on the cassette?

6 Choose one of the pets shown on the opposite page. Imagine he or she is lost. Give a description to your partner who takes notes while you speak and has to guess which animal it is. Then swop roles.

7 What do you think are the advantages and disadvantages of owning various pets - a dog, a horse, a cat, a goldfish, a guinea pig? Discuss them with a partner. Make some notes first to help you.

ANIMAUX PERDUS ou TROUVÉS :
Alerter aussitôt les commissariats les plus proches, et :
Service des Recherches de la S.P.A. :
47.98.57.40
• **Chiens tatoués :** Fichier central de la **SOCIETE CENTRALE CANINE**
215, rue St-Denis, 75002 Paris
Tél. : **42.36.11.60**
• **Chats tatoués : SOCIETE LOGIX**
8, parc de Rocquencourt, 78150 LE CHES-NAY. Tél. : **39.54.51.07.**

8 Now list the good and bad points of owning a pet like this!

Avantages
Un chien est un bon compagnon
Inconvénients
Fait du bruit

19 CORRESPONDANT(E)S

Three French teenagers are looking for penfriends and have recorded a cassette about themselves.

1 What do they talk about?
i) the subjects they like at school
ii) the things they like doing in their spare time
iii) what they like and dislike at school and what they do in their spare time.

Chaque semaine, cet emplacement est réservé aux lectrices et aux lecteurs souhaitant avoir des correspondants. Alors, si vous cherchez des amis, n'hésitez donc pas à écrire très lisiblement (en majuscules) à : OK !, « Le coin de l'amitié », BP 5608, 75362 Paris Cedex 08, et n'oubliez pas de joindre votre photo. C'est plus sympa !

2 a) The name on this form is smudged. Do you think it was filled in by Jacqueline?

> **Au collège vous préférez:** L'histoire, les maths, l'anglais
> **vous n'aimez pas:** Le français
> **Sports pratiqués:** Le handball, le ski
> **Loisirs:** cinéma, aller en boîte

b) Would Peter be a suitable penfriend for Jean-Marc?

> **Name:** Peter Richardson
> **Age:** 15
> **Favourite subject(s):** Geography
> **Worst subject(s):** P.E., Art
> **Interests:** Going out, TV, girls

c) Who has more in common with Aidra - Jenny or Jasmine?

Jenny

LIKES	DISLIKES
George Michael	TV
Michael Jackson	discos
computer games	
helping at home	

Jasmine

LIKES	DISLIKES
music	science
all sports	helping at home
going out	school
with friends	

Astuce

Some French words look the same as English words but they always sound different. Listen out for how the teenagers on the tape pronounce **maths,** **handball, sciences, collège.** *What does this tell you about French pronunciation?*

3 Which of the three French pupils (Jacqueline, Jean-Marc or Aidra) would you have most in common with?

Mireille

Édouard

4 How would Mireille and Édouard say what they like and dislike, at school and in their free time? Work out each one, with a partner if you wish.

> J'aime ...
> Je déteste ...
> Je suis fort(e) en ...
> Je n'aime pas beaucoup ...
> Je préfère ...
> Je ne suis pas fort(e) en ...

5 Interview someone in your class. Find out their likes and dislikes in school subjects, giving each one a score from 1 to 10 if you wish. Then find out what they like to do in their free time. Take notes, and then tell someone else what you've found out.

6 Read the adverts from a magazine penfriends column. Then look at the form Sophie has filled in and find a suitable penfriend for her.

Nom:	SATURNIN
Prénom:	Sophie
Âge:	16 ans

Loisirs:	
le cinéma	☑
le théâtre	☐
les promenades...	
- à pied	☐
- à cheval	☐
- en vélo/vélomoteur	☑
les concerts	☐
les musées	☐
les discothèques/boîtes de nuit	☑
le sport	☐
la musique	☑
la télévision	☐
le bricolage	☐

Now write a letter for her to send to that person, introducing herself.

«Le coin de l'amitié»

Salut! Je m'appelle Sylvie. J'ai 15 ans et je voudrais correspondre avec des filles et des garçons ayant entre 14 et 17 ans. J'adore le new punk et la musique des années 60. Gros bisous à toutes et à tous. Réponse assurée.
Sylvie Leclerc, 13150 Tarascon.

Je m'appelle Sabrina. J'ai 16 ans. J'aimerais correspondre avec des filles et des garçons de tous âges et de tous pays. Je parle: anglais, allemand, italien, français et néerlandais. J'aime la musique et écrire. J'habite sur une péniche. Joindre photo si possible.
Sabrina Antoine, 6778 Musson, Belgique.

Nous sommes deux copines de 14 ans, Aurore et Mireille. Nous aimerions correspondre avec deux garçons sympa de 14 à 17 ans qui aiment rigoler, draguer, le sport, sortir entre amis et qui apprécient aussi Bros, A-Ha, OK, George Michael, Michael Jackson... Nous promettons de répondre à tous. Notre boîte aux lettres doit craquer! Gros bisous et à bientôt.
Mireille Maeder, 4000 Liège, Belgique.

Nous sommes deux super copines de 16 et 13 ans. On voudrait correspondre avec des filles et des garçons qui ont entre 16 et 19 ans. Nos loisirs: faire du vélo et écouter de la musique. Moi, Christelle, j'aime aller en boîte ou au cinéma; ma copine, elle n'a pas le droit de sortir. On adore David et Jonathan, Début de Soirée et David Hallyday.
Christine Estèves et Christelle Marbois, 33370 Tresses, Bordeaux.

Moi, c'est Barbara. J'ai 15 ans et je recherche des correspondants garçons et filles de mon âge, sympa, cool, aimant rire et s'amuser. Photo si possible. Merci d'avance. Gros bisous à tous. Répondez-moi vite!!
Barbara Tacite, 62700 Bruay-Labrissiere.

Je m'appelle Aline. Je trouverais génial que des garçons et des filles de 15 à 18 ans m'écrivent nombreux et nombreuses. J'adore m'amuser, la musique, spécialement A-Ha.
Aline Palomo, 97410 St-Pierre, Île de la Réunion.

7 Write an advert about yourself to go in the magazine column. Describe your likes and dislikes, what you do in your free time, and the kind of penfriend you'd prefer.

20 AU BUREAU DE POSTE

While waiting to buy stamps, you overhear an American tourist talking to an assistant in a French post office.

1 Which is correct?
i) The man wants to send a telegram to the USA.
ii) The man wants to make an international telephone call.
iii) The man wants to buy stamps for his letters and postcards.

2 a) Which stamp would you put on the postcard from France (right)?

b) You want to send this card to Britain. This is all the money you have on you. Do you have enough to buy the right stamp?

c) The American had made a note of what he needed at the post office. Which item on the list does he forget to ask for?

> 2 lettres (USA)
> 1 carte postale (GB)
> 1 lettre (Canada)
> 1 lettre (GB)

d) Which coin does the assistant ask for?
i) 10 centimes
ii) 20 centimes
iii) 50 centimes

Astuce

When people are talking about more than one thing (**lettres, timbres, grammes**), you don't normally hear the final **s** or **x**. Listen instead for **les, des** or a number in front of the word.

3 Do you think the American tourist speaks French well?

POUR VOS ENVOIS A L'ETRANGER

Principaux Tarifs

SERVICES RAPIDES

LETTRES - CARTES POSTALES - PAQUETS TARIF LETTRES *

Poids jusqu'à	Zone 1				Zone 2		Zone 3	Zone 4
	C.E.E. (1)	Autriche Liechtenstein Suisse	Autres pays d'Europe Algérie Maroc	Tunisie	Régime particulier (sauf Tunisie) (2)	USA Canada Proche-Orient (3)	Autres pays d'Amérique d'Afrique d'Asie	Océanie
10 g	2,30 F	2,50 F	3,20 F	3,20 F	3,20 F	3,50 F	3,70 F	3,90 F
20 g	2,30 F	2,50 F	3,20 F	3,20 F	3,20 F	3,80 F	4,20 F	4,60 F
30 g	3,80 F	5,50 F	5,50 F	5,00 F	5,90 F	6,40 F	7,00 F	7,60 F
40 g	3,80 F	5,50 F	5,50 F	5,00 F	6,20 F	6,70 F	7,50 F	8,30 F

(1) CEE : Allemagne (Rép. Féd.), Belgique, Danemark. Espagne, Grande-Bretagne, Grèce, Irlande, Italie, Luxembourg, Pays-Bas, Portugal, Saint-Marin.

(2) Régime particulier : Bénin, Burkina, Cameroun, Centrafrique (Rép.), Comores, Congo, Côte-d'Ivoire, Djibouti, Gabon, Guinée, Madagascar, Mali, Mauritanie, Niger, Sénégal. Tchad. Togo. Tunisie.

(3) Arabie Saoudite, Egypte, Iran, Iraq, Israël, Jordanie, Liban, Libye, Republique arabe syrienne.

* Paquets tarifs lettres Zone 1 : surtaxe A0, **0,10 F** par 10 g pour Algérie, Maroc, Tunisie seulement.

4 Work out from the price list above (the *tarif*) how much it costs to send a letter (up to 20 grammes) from France to Morocco, Senegal, Canada, India, Ireland.

5 You want to send letters to the five countries listed in task 4. You already know what stamp values you need: work out with a partner what you'd say at the post office counter.

> **Je voudrais deux timbres à 3 francs 80 ...**

6 Look back at the American tourist's checklist of stamps he needed. Work with a partner: one person is the tourist buying stamps for those letters, the other is the counter assistant giving stamp values from the *tarif* above. Together, note down the stamp values and work out the total cost.

> **C'est combien pour envoyer une carte postale aux États-Unis/au Canada/en Grande-Bretagne?**
> **Une lettre pour le Canada, c'est combien?**

7 Your French friend has offered to buy stamps for you. The items below are what you want to send: write a note telling your friend how many stamps you need and at what value. (Look them up on the *tarif*.)

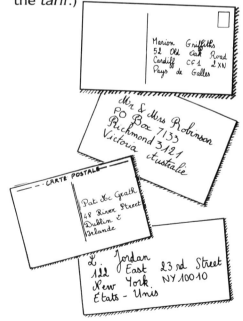

21 ON ARRIVE À L'HÔTEL

A woman wants to book a room for herself and her family and is talking to the hotel receptionist.

1 Which is correct?

i) The first hotel is full but there is room at the second hotel.

ii) The first hotel is too expensive but she finds a cheaper room at the second hotel.

2 a) Could this be the woman and her family (right)?

b) Which of these two does she prefer?

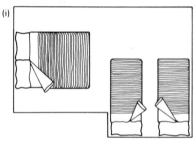

(i)

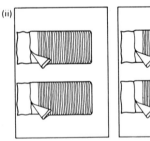

(ii)

c) Is the sign correct?

d) Would this bill be correct at the end of her stay?

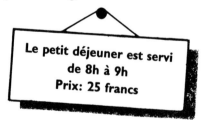

Le petit déjeuner est servi
de 8h à 9h
Prix: 25 francs

Chambre nº 52

2 nuits à 250 F

Total : 500 F

*French people turn a statement into a question by making their voice rise at the end of the sentence. Listen out for examples, such as: **Vous n'avez rien d'autre?** and practise saying them yourself.*

3 Can you think of any other questions the woman should ask before deciding to take the room?

4 Study the hotel details given below and find:
- the cheapest hotel for a room for two
- the hotel with the cheapest breakfast
- a hotel near ski slopes
- a hotel with an impressive view
- a family-run hotel.

berge au Pied la Cascade
: (29) 33.21.18
jour agréable dans un
adre unique de verdure.
alme, détente, repos.
pécialités: truite de
nontagne.
Chambres: Single 90
Double 150. Petit déj.: 20.
Pension: 185-215. 1/2 Pension:
120-150. Repas: carte.

Hôtel Munsch aux Ducs de Lorraine
Dans un cadre reposant au
pied du haut-Kœnigsbourg.
44 chambres de style et de
grand confort. Restaurant
Alsacien fermé le lundi.
Chambres: 350-600. Petit
déj.: 40. 1/2 Pension: 310-495.
Repas: carte.

Le Perce-
je
étaire Chef de
ne. Vue panoramique
a vallée de la Moselle.
he, équitation,
menades.
ambres: Single 130-170
uble 170-210. Petit déj.:
. Pension: 210-255.
2 Pension: 175-200.
epas: 80- 160 + carte.

Le Château de la Malaide
Situé la route des Vosges
Alsace. Le Château de la
Malaide dans un parc de 8
ha vous réserve une
ambiance agréable et
reposante, dans un cadre
idéal. À proximité des pistes
de ski.
Chambres: Single 120-170
Double 130-200. Petit déj.:
20. Pension: 260-310.
1/2 Pension: 200-250. Repas:
carte.

ôtel Rouge gazon
Pension de famile.
Promenades, pêche, repos.
Cuisine familiale. Situation
de sports d'hiver. 5 téléskis.
Pistes de fond.
Chambres: Single 125-200
Double 135-220. Petit déj.:
17. Pension: 170-230.
1/2 Pension : 130-185. Repas:
48- 135 + carte.

pour deux adultes
pour trois nuits
avec douche et WC
pas chère
sans petit déjeuner

5 Work in pairs. One of you enquires whether a room is available for the dates given below. If there is no room for the dates you want, try another hotel. When you've found a room, swop roles.

3 nuits , du 29 au 31 mars
7 nuits , du 2 au 8 novembre
1 nuit , le 6 mars
2 nuits , le 15 et 16 décembre

Avez-vous une chambre de libre pour une nuit, le ...?
Non, je suis désolé(e). Essayez ...

The other partner plays the role of the receptionist at one of the four hotels listed below. (Turn the book round.)

complet : oct/nov
Hôtel du Tremplin
complet : du 10/11 au 10/12
Hôtel des Vallées
complet : 12/11 à 20/11 et 15/3 à 30/3
Hôtel de la Poste
complet : novembre à fin mars
Hôtel de la Promenade

6 Telephone a hotel in France to reserve a room for your parents or two friends who don't speak French. A partner takes on the role of the hotel receptionist. Decide on the details first, then work out the conversation together.

7 Following your phone call in task 6, write a letter to the hotel to confirm the booking.

22 LE DÉPART DE L'HÔTEL

 A hotel guest is about to check out and is talking to the receptionist.

 1 Which is correct?
i) The man is querying a mistake in his bill.
ii) The man is discussing how he can pay his bill.

2 a) Is this the right bill for Mr. Morton?

b) Read the sign below. Which currency did the receptionist forget to mention?

HÔTEL LAGRANGE
Tel: 70.79.87.67

Chambre à 1 lit
3 nuits à 220F   660F
3 petits déjeuners à 20F   60F
                        ──────
                        720 F
Total :

Nous acceptons les chèques de voyage

☆ en dollars américains
☆ en marks allemands
☆ en francs suisses

c) Which of these banks is near the hotel?

 Astuce

*The s of **vous** is not normally heard. But when the next word starts with a vowel, the s sounds like a z. Compare **Vous voulez mon passeport?** and **Vous acceptez les chèques de voyage?***

d) To pay by credit card, does the man need:
- to show his passport?
- to sign?

3 Do you think the receptionist is polite? Why do you think that?

4 You are in the *Galeries Dupont*, the *Hôtel Novex* or the *Restaurant Chez Léon* and you wish to pay. Ask your partner whether a particular method of payment is accepted: find out which kinds of payment are possible, and then swop roles.

	Galeries Dupont	Hôtel Novex	Restaurant Chez Léon
rte bleue	✓	✓	✗
eque	✓	✓	✓
av. cheque	✓	✗	✗
ollars	✓	✗	✗
erling	✗	✗	✓

> **Vous acceptez ...?**
> **Oui, volontiers ...**
> **Non, nous n'acceptons pas ...**
> **Non, nous acceptons ...**
> **seulement**

5 You are in a hotel and need to find somewhere to change money. Shut your book, and ask a partner: they answer using one of the maps on this page. Then swop roles.

> **Où y a-t-il un bureau de change?**
> **Il y a une banque dans la première rue à gauche .../en face de ...**

6 Look at the hotel sign.

Hôtel Novex	TARIF
Chambre à 1 lit	150f
Chambre à 2 lits	290f
Petit déjeuner	20 f

Les clients sont priés de noter que nous acceptons les chèques de voyage en francs français seulement.
Les cartes de crédit ne sont pas acceptées.

Then work out a dialogue with a partner: one person is the *Hôtel Novex* receptionist, the other is a guest who has spent two nights there (with breakfast). The guest asks for the bill and wants to pay with traveller's cheques in Canadian dollars.

> **Je voudrais payer, s'il vous plaît.**
> **Mais je n'ai pas de ...**
> **Vous acceptez ...?**
> **des chèques de voyage en dollars canadiens**
> **Où y a-t-il un bureau de change?**

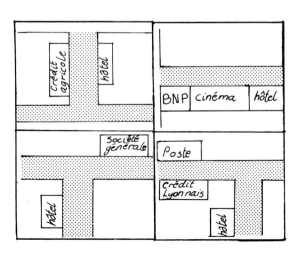

23 UN BON RESTAURANT

You are on holiday in France and have asked some of the people you have met to recommend a good local restaurant.

 1 Which is correct?
i) All four people suggest somewhere to eat.
ii) One of the people can't recommend anywhere.

 2 a) Which of the eating places shown on the list below are recommmended on the cassette?

b) Is this **moules-frites** as it is described on the cassette?

Restaurants - Brasseries - Snack - Salons de thé

Auberge des Près salés F1	2 rue du Dr Lomier Tél. 22.60.81.52	à la carte à toute heure	Près de la Baie. Parking
Le Casino (Snack-Bar) H1	2, Qu du Romerel Tél. 22.60.82.69	Repas 58 à 75F	Face à la Baie
Le Colvert (Brasserie) I1	Rue de la Ferté Tél. 22.26.91.43	à la carte	Près de la mer Dégustation Moules-Frites soupes de poissons etc...
Le Drakkar (Pizzaria) J1	6. rue de la Ferté Tél. 22.26.94.80	Repas 55 à 77F	Près du Port. Parking proche Pizzas copieuses
Le Globe (Brasserie) J1	Rue de la Ferté Tél. 22.60.81.05	Repas à 42F	Dégustation Moules-Frites, soupe de poissons crêpes à toute heure
Hostellerie de la Baie K2	Quai Lejoille Tél. 22.26.83.69	Repas 50 à 130F	Face au Port
Les Quatre-Saisons D4	2, place de la Croix l'Abbé Tél. 22.26.94.85	Repas 50 à 150F	Banquets-Vins d'Honneur Parking
Les Remparts E2	37 rue J. Aclocque Tél. 22.26.93.50	Repas 49 à 130F	Face aux Remparts. Groupes de 60 personnes
Salon de Thé B. Martel J1	36, rue de la Ferté Tél. 22.26.92.22	à la carte	Vue sur la Baie Patisseries-Glaces

 Astuce

*You often hear people say: **Moi, je** . . . or **Lui, il** . . . etc. The extra pronoun is for emphasis. Where the subject of the sentence is **on**, the pronoun used is **nous**. One of the speakers on the cassette says: **Nous, on y va** . . .*

c) Which of the restaurants would be the best choice for vegetarians?
d) Which of the restaurants would be the best choice for a meal to celebrate a special occasion?

3 Which of the four restaurants would you prefer? Why?

4 Study the three restaurant adverts taken from a local newspaper. Then read the comments below and decide which restaurant each of them is referring to.

a) Si vous aimez la cuisine orientale, ce restaurant est excellent.

b) C'est fermé le mercredi et le jeudi à midi.

c) On y joue de la musique tous les soirs.

d) Ce restaurant est ouvert tous les jours.

e) Vous cherchez un restaurant italien? Essayez celui-ci.

5 Choose one of the restaurants (right) and recommend it to a partner. Give as much information as possible: the type of food, the location, the opening hours, the atmosphere, and your opinion of the place (use your imagination!). Then ask your partner to recommend a restaurant to you.

6 Write a message inviting a French friend to one of the restaurants shown (right), or to a restaurant you know. Tell them where it is and what time to meet you there. Don't forget to say what type of food you can get and why you chose it.

Un restaurant qui est très bon, c'est ...
Il y a un grand choix de plats ...
C'est de la cuisine italienne ...
On y mange vraiment bien ...
C'est assez cher/Ce n'est pas cher.

Miami
RESTAURANT

ROUTE D'EU
MERS - LES BAINS

SANS ATTENDRE LE PLATEAU
REPAS COMPLET A EMPORTER !

PLAGE
NOUVEAU
L'évasion sur un plateau
MIAMI'S
CAMPING
30,00 F
BUREAU
PIQUE-NIQUE
ETC...

VOTRE CAFETERIA MIAMI
VOUS PROPOSE EGALEMENT
UNE FEERIE DE GOURMANDISES
GLACEES A DES PRIX FOUS !!!
MIAMI POUR VOUS SERVIR 7 jours / 7
de 11h00 à 22h00
Tél. 35.86.98.60

PIZZERIA DE LA TOUR
LA SEULE DES TROIS VILLES SOEURS

20 PIZZAS DIFFERENTES A DEGUSTER

AU RYTHME DE LA DOLCE VITA

cuisine par le patron   piano bar

Tél. 35.50.12.17
3, rue de la Tour
76470 LE TREPORT

LA FONTAINE SACREE
Spécialités cantonnaises
vietnamiennes et thailandaises
1, Place de l'Eglise
Service jusqu'à 22h00
Fermé le mercredi et jeudi midi
LE TREPORT Tél. 35.50.08.39

24 LE MENU, S'IL VOUS PLAÎT

A French man is taking some foreign visitors to a restaurant for a meal.

1 Which is correct?
   i) His guests can't understand the menu.
   ii) His guests are choosing their meal from the menu.

2 a) Which two dishes on the menu are not available today?
   b) Which sign would be outside the restaurant today?

i) **Plat du jour** Choucroûte

ii) **Plat du jour** Poulet au riz

iii) **Plat du jour** Truite aux amandes

c) Is this what was ordered?

Salad du Chef
Plat du jour
Escalope panée

Tarte à l'orange
Crème caramel

d) Are these drinks for the people on the cassette?

*In some long words that are difficult to say, a syllable sometimes seems to get 'swallowed'. In the dialogue, when the woman says: **Je préférerais**, it sounds more like: **Je préférais**.*

Menu

Salades

Salade de tomates	10F00
Salade de saison	10F00
Salade spéciale (salade verte, tomate, gruyère, œuf dur, jambon)	25F00
Salade du chef (salade verte, tomate, haricots verts, thon, oignon)	21F00

Plats garnis

Hamburger	24F00
Steak (bavette)	25F00
Escalope panée	30F00
Côte de porc	26F00
Filet de bœuf au poivre	43F00
Poulet normand	28F00

Glaces et desserts

Toutes les tartes sont fabrication maison.

Tarte aux pommes	14F50
Tarte au citron	16F00
Tarte à l'orange	16F00
Crème caramel	10F00
Mousse au chocolat	10F00
Fraises au sucre	20F00
Banana split	20F00
Pêche melba	17F50

Tous nos prix sont nets.

3 How would you describe the waiter's attitude?

4 Work with a partner. You are the waiter/waitress in a restaurant. Your partner is a customer and (keeping the book shut) asks you what the dish of the day is. Look at the list (right) and answer. Your partner says whether or not they like that dish and whether they want to order it.
Then swop roles.

Plats du jour
lundi : Fermé
mardi : Poulet au riz
mercredi : Omelette aux légumes
jeudi : Escalope de veau
vendredi : Poulet au curry
samedi : Cassoulet
dimanche : Côte de porc grillée

Aujourd'hui c'est jeudi/ samedi/...
Qu'est-ce qu'il y a aujourd'hui comme plat du jour?
Le plat du jour aujourd'hui, c'est ...
Mmm, c'est bon, le ...
Ah non, je n'aime pas ...
Alors, je prends...

Salade niçoise
~~Quiche au jambon~~
Soupe à l'oignon
Plateau de charcuterie

Truite aux amandes
Maquereaux marinés au vin blanc
~~Moules à la marinière~~

~~Choucroute alsacienne~~
Coq au vin
Steak au poivre
Hachi parmentier

Tarte aux pommes
Mousse au chocolat
Choux aux fraises
~~Salade de fruits~~

5 Order three of the items on the menu on this page. Your partner is the waiter/waitress and will tell you if they are available or not.

Then swop roles.

Je prends/Je voudrais ... s'il vous plaît.
Très bien.
Désolé(e), on n'a plus de ... /il n'y a pas de ...
Alors, je prends ...

6 Use the menu to order a full meal for yourself and two friends or members of your family. Your partner is the waiter/waitress and takes down your order.
Then swop roles.

Mon frère/ami voudrait ...
Et moi, je prends ...
Ensuite ...
Et comme dessert ...
Pour boire, nous prenons ...

25 CUISINE POUR TOUS

You are listening to a cookery programme, *Cuisine pour tous,* broadcast by a local radio station in France. A chef has been invited to give details of a recipe.

1 Which is correct?
i) The recipe given is quick and easy to make.
ii) The recipe given is for a traditional French dish which takes several hours to make.

2 a) The recipe is for:
  i) **œufs en cocotte**
  ii) **œufs mimosa**
  iii) **œufs au gratin.**
b) You want to try the recipe. Which of these ingredients would you need?

c) Arrange these pictures in the correct order.

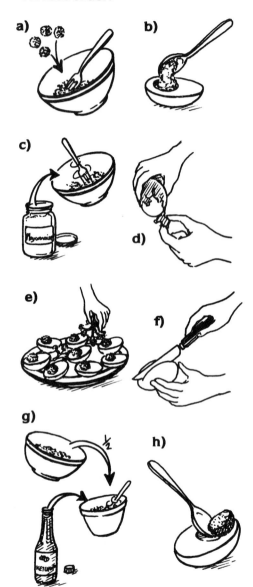

a)

b)

c)

d)

e)

f)

g)

h)

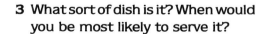

*The **f** of **œuf** is only heard in the singular. Compare the pronunciation of un **œuf** and des **œufs.***

3 What sort of dish is it? When would you be most likely to serve it?

4 Find the right instruction to go with each picture.

```
Instructions
1) Retirez
2) Coupez
3) Écrasez
4) Mélangez
5) Ajoutez
6) Décorez
7) Remplissez
```

a)

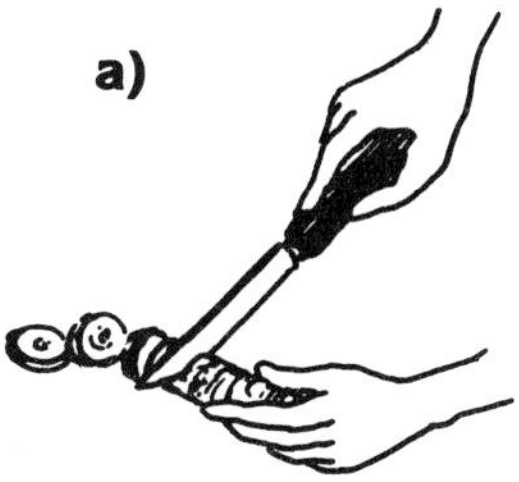

b)

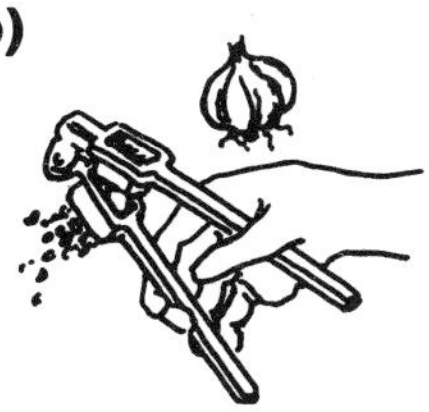

c)

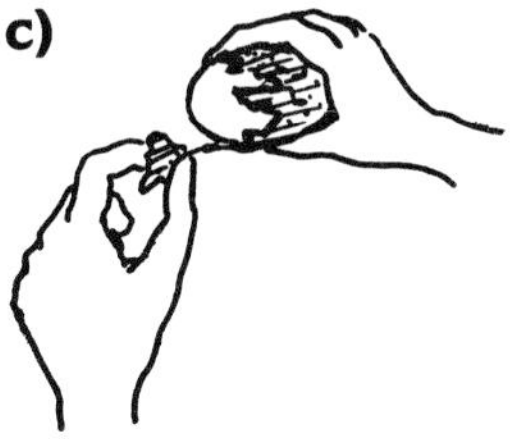

d)

e)

f)

g)

5 Together with a partner, work out how you would explain to someone else the recipe you heard on the radio programme. Use the pictures opposite to help you. Taking them in the correct order, say the instruction for each stage of the recipe.

> **Vous avez besoin de …**
> **Prenez les œufs durs …**
> **Coupez … / Écrasez les jaunes**
> **… / Ajoutez …**
> **Mélangez bien …**
> **Décorez …**

6 Think of another dish you know how to cook yourself. Describe clearly to the class what you have to do, making notes first about what you're going to say.

Alternatively, write the instructions in a letter, to send to a French friend who is interested to learn what kind of food you eat.

26 LE BON RAYON

You are in a department store, waiting in the queue at the information desk, and overhear three customers in front of you.

1 What do they each want to buy?

2 a) Match the object with the department.

VÊTEMENTS-HOMMES

DISQUES

BIJOUX

PAPETERIE

ALIMENTATION

b) Here is your shopping list. Which floor must you go to for each purchase?

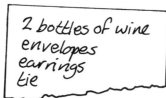

2 bottles of wine
envelopes
earrings
tie

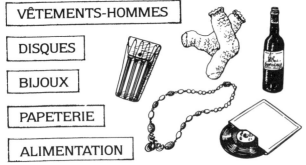

c) Look at the ground floor plan. Where is the lift? Position X, Y or Z?

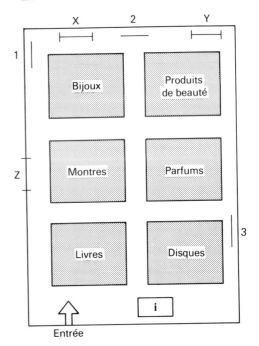

Bijoux

Produits de beauté

Montres

Parfums

Livres

Disques

i

Entrée

d) Where is the escalator? Position 1, 2 or 3?

3 Which customer seems to be in a hurry?

Astuce

Je vous en prie (Don't mention it) is a polite and very common way to respond to thanks. You may also hear *À votre service* or *De rien.*

4 Ask a partner which department you have to go to for the items on the shopping list below. The departments are shown on the sign on the right.

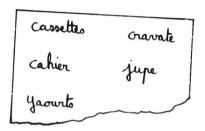

Cassettes   cravate

cahier   jupe

yaourts

**Alimentation
Disques, cassettes
Papeterie
Vêtements - Femmes
Vêtements - Hommes**

**C'est quel rayon pour ... s'il
vous plaît?
Je cherche ... C'est à quel
rayon, s'il vous plaît?
Essayez au rayon ...
Allez au rayon ...**

5 Make a list in French of at least five items you'd like to buy in a department store. Then ask your partner where you can find each item. Your partner explains which department and floor you need. Then swop roles.

6 Ask your partner where the lift/ escalator is. Your partner gives you directions, using sketch map A.

Galeries Groschoix

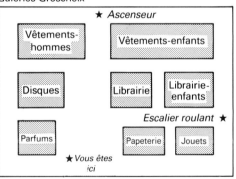

Then swop roles and you use sketch map B to explain where things are.

Au Bonprix

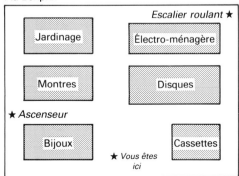

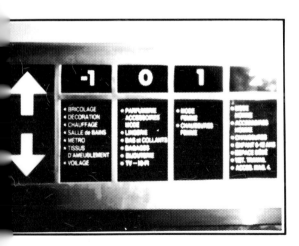

**Je voudrais acheter ...
Où est/sont ... s'il vous plaît?
Il vous faut le rayon ...
C'est au sous-sol/au rez-de-
chaussée/au ... étage**

27 UNE RÉCLAMATION

A girl is talking to the shop assistant in a clothes shop.

1 Which is correct?
i) The girl wants to buy a pair of trousers.
ii) The girl is returning a pair of trousers.

2 a) What is wrong with the trousers?
  i) They have a stain on them.
  ii) They are too tight.
  iii) A seam has come unstitched.

b) Which size does the girl take?

i) 36   ii) 38   iii) 40

c) What colours are left in the girl's size?

white
pink
light blue.

d) Which of these does the shop assistant suggest instead?

3 Does the girl lose her temper?

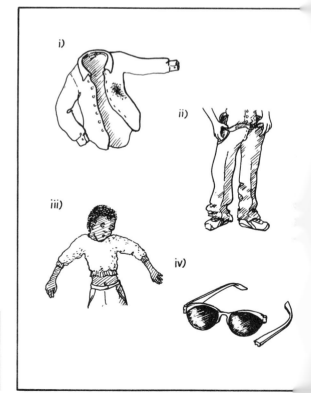

*Notice that **un pantalon** is singular. The girl says: **Il n'est pas trop petit.** In English we use the plural (trousers) and would say: 'They aren't too small.'.*

4 Choose a colour. List all the items available in that colour on this catalogue page.

---

[1] **NU-PIED FEMME**
dessus toile, talon compensé enrobé de jute, du 36 au 41, coloris assortis: bleu, blanc, noir

29,90F

[2] **NU-PIED FEMME**
dessus toile reps, semelle élastomère, du 35 au 41, coloris: rouge/noir, jaune/noir, violet/bleu marin, noir/blanc

39,90F

[3] **TENNIS LACET OU SANS-GÊNE BÉBÉ**
dessus toile, semelle PVC, du 22 au 27, coloris: noir/rouge/jaune; bleu/blanc/rose

49,00F

[4] **TENNIS LACET OU SANS-GÊNE**
dessus tissu multicolore, semelle caoutchouc, du 28 au 45, coloris: rose/vert/mauve, rose/bleu/blanc

69,90F

[5] **BALLERINE FILLETTE OU FEMME**
dessus toile, semelle élastomère, du 28 au 41, coloris: rose/noir, blanc/noir, gris/bleu, orange/bleu

39,00F

[6] **TENNIS SANS-GÊNE**
dessus toile unie, semelle caoutchouc, de 28 au 45, coloris: marron, noir, bleu marin, gris, rouge, vert

39,00F

[7] **TENNIS LACET OU SANS-GÊNE**
dessus toile fantaisie, semelle caoutchouc, de 35 au 45, coloris assortis

85,00F

[8] **TENNIS OU SANS-GÊNE**
dessus toile, semelle caoutchouc, de 28 au 45, coloris: vert/noir, jaune/gris, noir/blanc, noir/rose

69,90F

[9] **NU-PIED**
dessus toile, semelle élastomère, du 19 au 27, coloris: jaune/rouge, jaune/noir, jaune/bleu

39,90F

[10] **SNEAKER LACET OU ELASTIQUE**
dessus toile, semelle caoutchouc, de 21 au 27, coloris: noir a pois blancs, blanc à pois bleus, rouge à pois noirs

19,90F

6 Work out a dialogue with a partner: a customer takes back to a shop one of the items pictured on the left. They want their money back. The shop assistant doesn't want to give a refund and offers other items in exchange instead.

7 Write a letter to a boutique to complain about the condition of an item of clothing you've just bought there. It's got several ink stains on it. You noticed them after you'd got home, and you're now returning the item as you won't be in that town again for some time. Ask the manager/manageress to send a replacement immediately.

5 Choose one of the illustrations on page 54. Without telling your partner which it is, explain the problem. Your partner has to work out which illustration you've chosen. Then swop roles.

Mes lunettes sont cassées.
Cette chemise est trop grande/petite...
Ce pull-over a une tache...

Monsieur / Madame
J'ai acheté cette robe dans votre boutique hier et quand je.....

28 OFFRES SPÉCIALES

In a large supermarket, announcements are being made over the loudspeaker.

1 Which is correct?
i) The announcements are about special offers on items of food only.
ii) The announcements are about special offers on items of food, furniture and electrical goods.

2 a) Is this the week when the special offers are available?

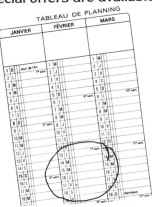

b) Here is your shopping list. Are any of the things you want on special offer?

Coffee
crisps
apples
beefburgers

c) Which of these are now on special offer? What are the new prices?

CHARCUTERIE

SAUCISSON A L'AIL
Blanc et fumé. Le kg **9.80**

JAMBON TORCHON
SUPERIEUR DD
Le kg **39.90**

RILLETTES PUR PORC
Le kg **25.50**

POITRINE PORC FUMEE
N° 1
Le kg **22.90**

SAUCISSON SEC PUR PORC
JUSTIN BRIDOU
La pièce **14.90**
soit 59.60 le kg

d) Is this the special offer price or the normal price? How much can you save if you buy the cream this week?

3 Can you remember any words or expressions the announcer used when talking about the special offers? Which do you think would attract customers' attention best?

4 You have 100 francs to spend on any of the items mentioned on these page. Choose what you would buy and write a list. Then tell your partner. Then listen and make a note of each item and its price in order to check your total spending. Then swop over.

> J'achète …
> - des ravioli à 9 f 85 …
> - de l'huile tournesol à 8 f 45 …

5 There are special offers on some items. Look at these illustrations and ask your partner about the price of any three items.

Your partner turns the book round and gives the new price of the items. Then swop over.

> 13 f 50.
> Le prix promotionnel est de
> Côtes du Rhône.
> Il y a une réduction sur le

Now look back at the items you bought in question 4: would you save any money now?

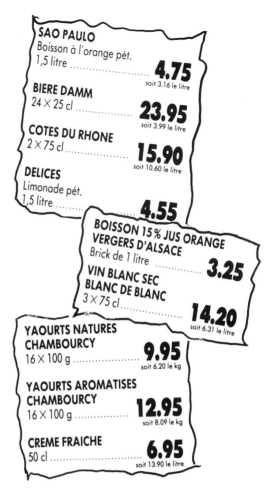

SAO PAULO
Boisson à l'orange pét.
1,5 litre ....
4.75
soit 3.16 le litre

BIERE DAMM
24 × 25 cl
23.95
soit 3.99 le litre

COTES DU RHONE
2 × 75 cl ....
15.90
soit 10.60 le litre

DELICES
Limonade pét.
1,5 litre ....
4.55

BOISSON 15% JUS ORANGE
VERGERS D'ALSACE
Brick de 1 litre ....
3.25

VIN BLANC SEC
BLANC DE BLANC
3 × 75 cl ....
14.20
soit 6.31 le litre

YAOURTS NATURES
CHAMBOURCY
16 × 100 g ....
9.95
soit 6.20 le kg

YAOURTS AROMATISES
CHAMBOURCY
16 × 100 g ....
12.95
soit 8.09 le kg

CREME FRAICHE
50 cl ....
6.95
soit 13.90 le litre

6 Using the pictures above, make up an announcement to be read out over the supermarket loud-speaker. Make it sound as lively and snappy as you can. Work with a partner if you wish.

> Bonjour et bienvenue à …
> Aujourd'hui il y a une réduction spéciale de 1 f 40 sur le Côtes du Rhône. Il est à 13 f 50 les deux bouteilles.
> Il y a des promotions spéciales ….
> Précipitez-vous au rayon …
> … au prix exceptionnel de ….
> Bons achats à tous!

29 LOCATION DE VÉLOS

A tourist is talking to the owner of a shop which hires out bikes.

1 Which is correct?
i) The boy is returning a bike he hired out earlier in the day.
ii) The boy is making enquiries about hiring bikes for himself and his family.

2 a) Here is the boy's list of things to find out about. What did he forget to ask?

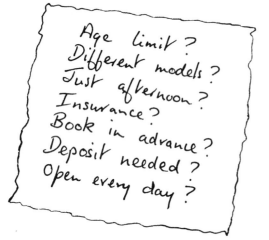

Age limit?
Different models?
Just afternoon?
Insurance?
Book in advance?
Deposit needed?
Open every day?

c) Look at the price list. One of the prices has now gone up. Which one? What is the new price?

Parents and vitesse both have more than one meaning. Parents can refer either to parents or to relatives in general. Vitesse means speed or gear. What do you think these two French words mean in this conversation?

b) Can you use the information you overheard to answer these questions with either Yes or No?

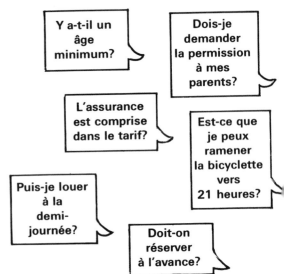

Y a-t-il un âge minimum?

Dois-je demander la permission à mes parents?

L'assurance est comprise dans le tarif?

Est-ce que je peux ramener la bicyclette vers 21 heures?

Puis-je louer à la demi-journée?

Doit-on réserver à l'avance?

Px / pers. assurance comprise	1/2 j.	j.	forfait w.end	forfait semain
indiv.	8 F	14 F	25 F	60 F

3 Do the prices seem reasonable to you?

4 Help a friend who doesn't speak French to hire bikes for their family. Look at the hire charge list and work out how much they will have to pay. There are three adults and two children. They want to hire for a half-day only.

TARIF DE LOCATION

Vélo

2-vitesses	½-journée/15F	journée/22F
5-vitesses	journée/24F	week-end/37F
Enfants		
½-journée/10F	journée/18F	week-end/28F

(Ouvert de 9h à 21h)

Pédalo

25F/½-heure

Planche à voile

Planche classique	45F/heure	65F/2 heures
Fun board	40F/heure	60F/2 heures

Kayak
40F/demi-journée	60F/journée

Char à voile
70F/heure	150F/demi-journée

CYCLO-TOURISME
dans le Nord Pas de Calais

Location de vélos

FÉDÉRATION RÉGIONALE DES ASSOCIATIONS DE RANDONNÉE

---

5 Using the list of hire charges, take turns with a partner to hire equipment for two activities of your choice.

Je voudrais faire du kayak / de la planche à voile ...
Vous louez ... à la journée?
C'est combien à la demi-journée?
Pour deux heures, le tarif est ...

30 À L'AGENCE DE VOYAGES

A woman is asking the travel agent about a trip from Paris to London.

1 Which is correct?

i) The agent gives details of the journey by different means of transport.

2 a) Which type of flight shown on this brochure is mentioned?

TARIFS PARIS-LONDRES	Aller	Aller/Retour
EXECUTIVE	FFR. 1.180	FFR. 2.360
ECONOMIQUE	FFR. 935	FFR. 1.870
EXCURSION «PEX VISITE» sur tous les vols		FFR. 1.435
EXCURSION «SUPERPEX VACANCES» du 1ᵉʳ novembre au 30 juin sur vols désignés		FFR 970

PARIS-LONDRES :
BR 881 - Vendredi
BR 885 et 889 - Lundi au vendredi
BR 895 - Lundi et jeudi

LONDRES-PARIS : Lundi à vendredi
BR 882 - BR 888 - BR 892 - BR 896

Applicable sur tous les vols samedi et dimanche

★ AÉROPORT DE PARIS - CH. DE GAULLE/ROISSY I
Le transport par autocar est assuré de l'Etoile (angle de l'Avenue Carnot) et de la Porte Maillot toutes les 12 minutes au prix de FFR. 34.
Une liaison ferroviaire est assurée par la SNCF de la Gare du Nord et de la station RER du Châtelet toutes les 15 minutes.

b) Name two ways to get from central Paris to the airport.

c) The prices on this brochure (right) are all about to go up. The new prices have been written in. Does the travel agent give details of the old or the new prices?

*Notice the way the French put **plus** or **le plus** in front of an adjective where in English we add -er or -est to the end of the adjective, e.g. **plus rapide** (quicker), **le plus rapide** (quickest).*

ii) The agent is booking a return flight from Charles-de-Gaulle airport.

d) Is it quicker to cross the Channel from Dieppe or from Calais?

e) Is the hovercraft cheaper than the ferry?

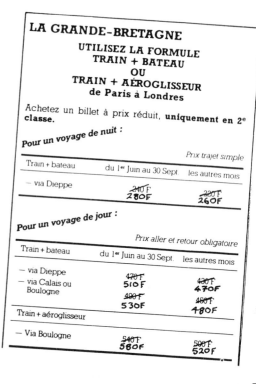

LA GRANDE-BRETAGNE

UTILISEZ LA FORMULE
TRAIN + BATEAU
OU
TRAIN + AÉROGLISSEUR
de Paris à Londres

Achetez un billet à prix réduit, **uniquement en 2ᵉ classe.**

Pour un voyage de nuit :

		Prix trajet simple
Train + bateau	du 1ᵉʳ Juin au 30 Sept.	les autres mois
— via Dieppe	~~340 F~~ 280F	~~280 F~~ 260F

Pour un voyage de jour :

		Prix aller et retour obligatoire
Train + bateau	du 1ᵉʳ Juin au 30 Sept.	les autres mois
— via Dieppe	~~470 F~~ 510 F	~~430 F~~ 470F
— via Calais ou Boulogne	~~490 F~~ 530F	~~460 F~~ 480F
Train + aéroglisseur		
— Via Boulogne	~~540 F~~ 560F	~~500 F~~ 520F

3 Which means of transport would you choose for the journey between Paris and London? Why?

4 Work with a partner. One of you is the travel agent. (Turn the book round to use the price list.) The other makes three different enquiries about ticket prices choosing from the list below. Then swop roles.

- un piéton adulte

- un enfant de 9 ans

- une voiture, 4 m de long

- une moto

- un vélo

- un remorque

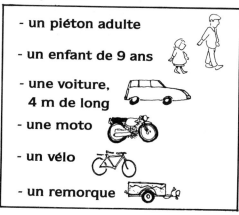

C'est combien pour un enfant de neuf ans?

Un aller simple coûte ... en été.

Vous voyagez en hiver ou en été?

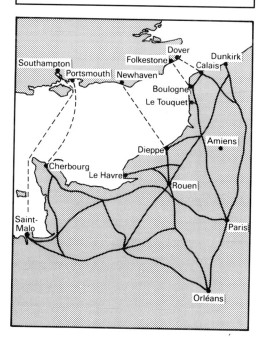

TARIFS CHERBOURG GUERNESEY

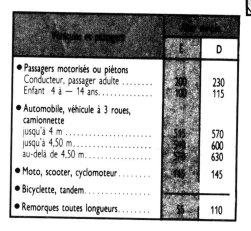

Véhicule et passagers	E	D
● Passagers motorisés ou piétons		
Conducteur, passager adulte	200	230
Enfant 4 à — 14 ans	100	115
● Automobile, véhicule à 3 roues, camionnette		
Jusqu'à 4 m	545	570
Jusqu'à 4,50 m	570	600
au-delà de 4,50 m	600	630
● Moto, scooter, cyclomoteur	145	145
● Bicyclette, tandem		
● Remorques toutes longueurs	35	110

5 Ask your partner how long these crossings take. Look at the map (bottom left).

Combien de temps dure la traversée de ... à ...?

Your partner turns the book round and answers, using the information in the box.

Calais - Douvres 1h30
Boulogne - Folkestone 1h50
Dieppe - Newhaven 4h00
Cherbourg - Portsmouth 4h45

6 A friend from Orléans wants to visit you in the summer. Work out several routes they could take, using the map to help you. Write a letter to explain the possible routes and pointing out the advantages and disadvantages of each. Include any travel in this country that will be necessary to get to your home.

31 STATIONNEMENT INTERDIT

A traffic warden in a busy street in a French town is speaking to three different drivers.

1 Which is correct?
i) The drivers all go to find somewhere else to park.
ii) Two of the drivers give reasons for remaining where they are.

2 a) Where does the warden suggest the woman might park?

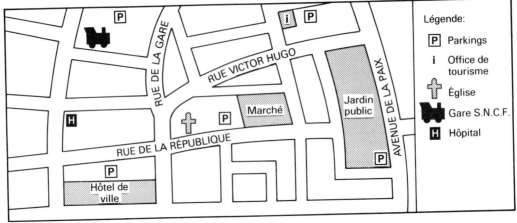

b) Which is the young man's car?

c) What is the lorry driver delivering?

d) Where does he have to move to avoid obstructing the traffic?
- back a bit
- forward a bit
- to the back of the shop.

Allons! can be used in different ways. Here one of the drivers uses it to mean 'Come on! You don't really mean it!', when protesting to the traffic warden.

3 Do you think any of the drivers should get a fine?

Il ne faut pas stationner:

— tout près d'une intersection de routes

— tout près des signaux lumineux de circulation

— tout près d'un passage à niveau

— tout près d'un virage

— tout près du sommet d'une côte

— en double file

— trop loin d'un trottoir

— dans les voies réservées au trafic important
(autobus, ambulance, pompiers)

4 Read these rules for parking in France. Then work out which of the vehicles shown are parked illegally.

5 With a partner, work out a dialogue (or an argument!) between a traffic warden and the driver of one of the vehicles shown below. Then choose a second picture and swop roles.

> **Vous ne pouvez pas ...**
> **Mais je ...**
> **Le stationnement est**
> **formellement interdit ...**

6 Can you give and follow directions to a car park or free parking zone? Choose one marked on the map (P 62), and when your partner asks, give directions to it. Check that they have found the right one on the map. Then swop roles.

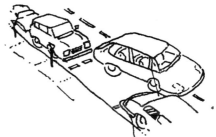

> **Où est-ce que je peux me garer?**
> **Essayez le parking dans la rue**
> **... derrière ...**

32 AU BUREAU DES OBJETS TROUVÉS

A man is talking to the assistant in a lost property office.

Bagages

Envois express

Consigne

Objets trouvés

TRAIN · AUTO Restitution

Point G

1 Which is correct?
i) The man is enquiring about a wallet he lost.
ii) The man is handing in a wallet he found on a bus.

2 a) What form do you have to fill in if you have lost something?
 - **dépôt d'un objet trouvé**
 - **déclaration de perte**
 - **restitution d'un objet perdu**
 b) Which bus was the man on?

c) Is this the wallet?

d) Check whether there are any mistakes on this part of the form.

Perdu ce: 25 février

Nom: FOURNIER, Michel

Adresse: 26, rue des Rosiers

Astuce

*Listen to how the speakers use **bon (alors)** where we would say 'Right (then)' or 'Fine!'.*

3 How does the man feel at the end of the conversation?

4 Read the noticeboard. Work with a partner: one person shuts the book and thinks of three objects they have lost. The other person explains which colour form is needed.

> S'il vous plaît, j'ai perdu …
> Il faut remplir une déclaration de perte.
> Prenez une fiche …

5 Take turns with your partner to say what you've lost and where. Use the illustrations and give a full description of the object you've lost.

> J'ai perdu …
> J'ai laissé mon/ma/mes …
> dans le/la …
> Ils/Elles sont jaunes …

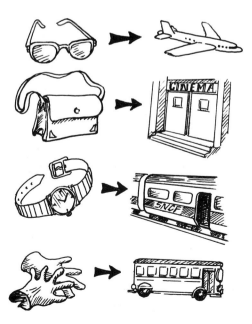

VOUS AVEZ PERDU UN OBJET?
REMPLISSEZ UNE DÉCLARATION
DE PERTE.
PRENEZ LA FICHE DÉSIGNÉE
CI-DESSOUS.

OBJET PERDU	FICHE
Bijoux, montres, billets de banque, billets de chemin de fer, chèques	BLEUE
Portefeuilles, porte-monnaies, porte-cartes, clés	ROSE
Vêtements	BLANCHE
Sacs, valises, parapluies	JAUNE
Appareils photo, lunettes, livres, carnets d'adresses, stylos	VERTE

6 Copy out the form below and fill it in to claim for your lost gloves.

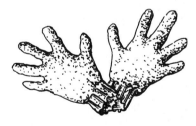

DÉCLARATION DE PERTE

Objet perdu: _____
Description: _____
Endroit perdu: _____
Date perdu: _____
Nom: _____
Adresse: _____
_____
_____

33 COMMENT VAS-TU?

An English teenager has just arrived to stay with her French penfriend's family.

1 Which is correct?
   i) Kate is talking to her penfriend.
   ii) Kate is talking to her penfriend's mother.

2 a) Was Kate seasick?
   b) Which of these would she like?

   c) Which of these does she ask for?

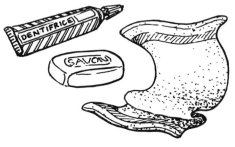

   d) Where will she find them?

3 Does Kate seem a shy person?

Astuce

Ferry, sandwiches and **aspirine** look very like their English equivalents when written down. But listen to the way they are pronounced.

4 How do you feel? Choose one of the pictures and tell your partner that's how you feel. Your partner responds, and then chooses a new picture.

- J'ai soif.
- Moi aussi, j'ai soif.
- Je suis fatigué(e). Et toi?
- Non, pas moi, je vais très bien.

5 What do you need? Take turns to ask for something illustrated below: your partner either can or can't supply what you want.

J'ai besoin de...
Serait-il possible d'avoir ...?
J'aimerais bien ...

Oui, bien sûr, pas de problème.
Je regrette, ce n'est pas possible.
Je n'en ai pas.

7 While staying in France, you catch a bad cold. Your penfriend's mother offers to fetch anything you need from the shops. Write her a short note telling her what you'd like.

6 Work out a scene with your partner: one of you arrives to visit the other after a long journey. Ask how your partner feels and if there is anything they need.

Madame, s'il vous plaît,
j'ai besoin de...

34 UN MÉTIER QUI M'INTÉRESSE

Some French teenagers are talking about work.

1 Which is correct?
i) They are talking about their parents' jobs.
ii) They are talking about what they want to do when they leave school.

2 a) Read the school reports. Which is Abdelhalim's? Catherine's? Éric's? Mélanie's?
b) Who would like to work where? Match up one name to each of these:
  i) at IBM
  ii) in a hospital
  iii) abroad
  iv) in a bank.
c) Which exam is Abdelhalim taking?
  i) **baccalauréat**
  ii) **brevet de technicien**
d) Which language would Catherine like to learn?
  i) Arabic
  ii) Japanese
  iii) Russian.
e) Which of these reasons does Éric give for his choice of job?
  i) stable job
  ii) well paid
  iii) meet people
  iv) good opportunities for promotion.

Passer un examen can be a confusing expression. It doesn't mean 'to pass an exam'. It means 'to take an exam'.

(i)
BULLETIN TRIMESTRIEL
DISCIPLINE
Mathématiques
Appréciations des Professeurs
Excellent à tous les points de vue

(ii)
BULLETIN TRIMESTRIEL
DISCIPLINE
Langue vivante 1
Appréciations des Professeurs
Elève attentive et sérieuse
Bons résultats.

(iii)
BULLETIN TRIMESTRIEL
DISCIPLINE
Sciences physiques
Appréciations des Professeurs
Trimestre satisfaisant.
Bon travail dans l'ensemble.

(iv)
BULLETIN TRIMESTRIEL
DISCIPLINE
Français
Appréciations des Professeurs
Résultats décevants.
Doit faire un effort

3 Which of the four speakers sound happy at the thought of starting work?

4 Read the details of these home-study courses. Which would interest the people below?

i) Je m'intéresse surtout aux enfants.

ii) J'adore les animaux.

iii) Je m'intéresse à la médecine

iv) Je voudrais travailler dans un bureau.

v) Je cherche un travail stable et bien payé.

5 Make a note in your book of which school subjects you are good, average and bad at. Then take turns with a partner to make guesses about each subject.

- Tu es bon/bonne en maths?
- Non, je suis moyen/moyenne en maths. Et toi, tu es faible en français?
- Non, en français je suis très fort/forte.

6 Ask your partner to choose a job from the list (above right) and say why they would like to do that sort of work.

Je voudrais travailler dans un/une...
Parce que je m'intéresse à... et je suis fort(e) en ...
Qu'est-ce que tu voudrais faire plus tard?
Pourquoi?

Apprenez un métier à votre rythme

FORMATIONS	NIVEAU	DUREE
SECRETAIRE MEDICO-SOCIALE	3e	8 MOIS
INFIRMIERE *	Baccalauréat	4 MOIS
C.A.P. EMPLOYE(E) DE PHARMACIE	4e	24 MOIS
AUXILIAIRE DE JARDINS D'ENFANTS	5e/4e	12 MOIS
COUTURIERE A DOMICILE	Accessible à toutes	3 MOIS
COUTURIERE POUR ENFANTS	Accessible à toutes	5 MOIS
STYLISTE DE MODE	Terminale	9 MOIS
FLEURISTE	4e/3e	8 MOIS
DESSINATRICE PUBLICITAIRE	3e	7 MOIS
COMPTABLE SUR INFORMATIQUE	B.E.P.C.	10 MOIS
EMPLOYE(E) DE BANQUE	4e	11 MOIS
SECRETAIRE	3e	11 MOIS
INTERPRETE COMMERCIAL	Terminale	12 MOIS
INITIATION A L'INFORMATIQUE	Accessible à tous	7 MOIS
SECRETAIRE OPERATRICE SUR MICRO	Accessible à tous	7 MOIS
TOILETTEUSE DE CHIENS	Accessible à tous	10 MOIS
SECRETAIRE ASSISTANTE VETERINAIRE	Accessible à tous	19 MOIS

7 A French teenage magazine   wants to write a feature on young people's attitudes to work. They ask readers in France and other countries to send in short letters on that topic. Write a letter putting your point of view. You could include your ideas about future jobs and whether you are looking forward to starting work.

35 AU GUICHET

You overhear a man talking to the ticket clerk at a railway station.

1 Which is correct?
i) The man is collecting a ticket he reserved by phone.
ii) The man is buying a ticket and reserving a seat.

2 a) This sign is on your platform. Will the man be travelling to the same destination as you?

↓

e) Where is the buffet? Choose X, Y or Z.

	Z	consigne

w.c.		guichet
Salle d'attente		
Y		
	X	téléphones

b) Why can't the man get a second-class ticket for the 14.32 train?
c) What time is the next train he can take?
d) Is he able to reserve a seat:
- near the window?
- in a no-smoking area?

*In any language there are pauses and hesitations in natural speech. In this unit, you can hear several speakers use the little word **euh** to fill these gaps.*

3 Does the man seem angry at having to change his plans?

VOTRE VOYAGE EN TGV   VOTRE VOYAGE EN TGV

VOTRE VOYAGE EN TGV

4 Study the reservation card below and find out:

SNCF Pour être valable. ce titre doit être composté lors de l'accès au train. In order to be valid this ticket must be date stamped (composté) before boarding the train. **Résa** Class(e) 4

11.46 AIX LES BAINS LE REVARD   Train 5587   01 Places 51
16.02 MONTPELLIER

Date Valid on LE 24.06.89
DEPART TRAIN EN PERIODE BLEUE

SALLE NON FUMEURS   ASSISE   00 01
1 FENETRE ISOLEE

Prix Price

MONTPELLIER
01.04.89   10
05379986
00020 8   05379986   F****13.00 *

a) Where was the traveller going from and to?

b) On what date?

c) What seat was chosen: smoking or non-smoking compartment? By a window?

d) How much did the reservation cost, in francs? Can you work out current equivalent in pounds and pence?

5 You want to travel from Paris to Geneva. Close your book and ask for information. Find out when a suitable train leaves, and reserve a seat. Your partner is the ticket clerk and refers to the timetable. Then swop roles.

À quelle heure part le train pour ...?
Je voudrais réserver une place ...

Quelle classe?
Fumeurs ou non-fumeurs?

PARIS ▶ GENEVE et EVIAN

	921	915	(1) 923	925	927	929
N° du TGV				14.32	17.40	19.13
Correspondances autocars		8.34	10.36	16.13		21.09
Bellegarde	D 7.35			16.32		
Paris-Gare de Lyon	A 9.15		(1) 12.11	17.22	20.41	22.16
Mâcon-TGV	A			17.46	21.11	22.45
Bourg-en-Bresse	A		13.34	18.16	a	a
Culoz	A		14.05	a	a	a
Bellegarde	A 10.37		a	a	a	a
Genève	A 11.08	12.16	a	a	a	a
Annemasse	A a	12.43	a			
Thonon-les-Bains	A a	12.57	a			
Evian-les-Bains	A					

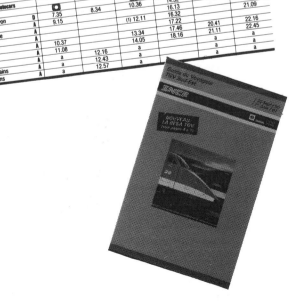

6 Write a note to a French friend giving details of the ticket you reserved in question 5.

Demain je quitte ... pour aller à ...
Je prends le train à ...
J'ai réservé ...

36 FAITS DIVERS

You are listening to the local radio news while on holiday in France.

1 Your friend was knocked off his bike by a lorry yesterday. Is the story mentioned on the news?

2 a) What was stolen?

b) You want to know more about the second item of news. Which of these headings in the local paper would attract your attention?

Deux blessés graves à Nampty

Abbeville: trois ouvriers brûlés

Friville-Escarbotin: un commerçant cambriolé

The 24-hour clock is widely used in France, both in speech and in writing, particularly for timetable announcements. There is no equivalent to a.m. and p.m. To avoid confusion, people sometimes add *du matin*, *de l'après-midi* or *du soir*, e.g. *sept heures du soir*.

c) Are the facts in this report correct?

Heure: 17h30
Endroit: chantier, Abbeville
Cause de l'incendie: compteur électrique a pris feu
Blessés: 3 hommes ont des brûlures aux jambes et aux pieds
Hôpital: Centre hospitalier d'Amiens

d) Is there any information in this newspaper article that is not given on the radio?

Une enfant renversée à Hangest-en-Santerre

Lydia Ansermet, 7 ans. Originaire du Var, elle était venue en vacances chez ses grands-parents à Hangest-en-Santerre. Hier après-midi, elle traversait la route d'Arvilliers quand elle a été renversée par une Renault 4. Elle souffre d'un traumatisme crânien et d'une fracture de la jambe droite. Elle a été transportée à l'hôpital d'Amiens par la S.M.U.R. de Montdidier.

3 What makes this sound like a local radio news broadcast as opposed to the national news?

4 Match these pictures with the news stories (below).

5 Choose one of the four pictures. Without saying which one it is, tell a partner what happened, as if you were a radio news broadcaster. When you've given all the facts, see if they can identify the right picture. Then swop roles.

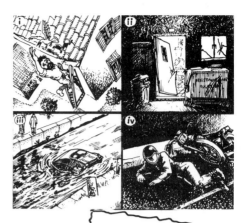

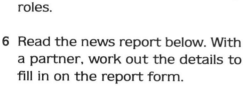

6 Read the news report below. With a partner, work out the details to fill in on the report form.

Cyclomotoriste blessée

Mardi, vers 18h 30, avenue des Colombes, une collision a opposé une voiture conduite par M. Daniel Simon, 42 ans, demeurant 11, rue Lagrange à Rouen, et une cyclomotoriste, Marie-Noëlle Dujardin, 21 ans, demeurant 2, quai de la Paix à Rouen. Cette dernière a été blessée et conduite à la clinique.

Faits divers

Cambriolage d'un restaurant

Dans la nuit du 15 au 16 juillet, une fenêtre située à l'arrière du restaurant 'Au Petit Port' à Calais a été brisée. On a volé une chaîne hi-fi, des bouteilles d'alcool et des cigarettes.

Un oiseau le fait tomber d'une échelle!

Le 2 juillet, à Saint-Étienne, M. Frascati, 49 ans, était occupé sur une échelle à réparer le toit de sa maison. Surpris par l'envol d'un oiseau, il a fait un geste qui l'a déséquilibré et l'a fait tomber par terre. Blessé à une jambe, il a été transporté à l'hôpital de Saint-Étienne.

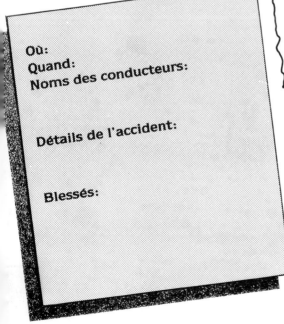

Où:
Quand:
Noms des conducteurs:

Détails de l'accident:

Blessés:

À AVIGNON
Ils volent un autoradio et poussent la voiture dans la rivière

Au cours de la nuit du 7 au 8 août, à 3 h du matin, deux gendarmes ont été intrigués par des portes de garages ouvertes au bord de la rivière. Une rapide investigation a permis de découvrir une voiture «2 CV» pratiquement submergée face au garage.

7 Choose one of the news stories above and write a brief report for a French school magazine.

Transcript of the recordings

Cassette 1 Side A

1 On va faire des courses

— Alors, j'ai fait une liste. Où est-elle? Ah voilà! Je t'explique un peu ce que c'est, d'accord? Tu vois, là, deux baguettes? Alors, le pain, je l'achète à la boulangerie. À la boulangerie, c'est le meilleur , quoi. C'est le magasin où nous étions hier. Tu t'en souviens? C'est pas loin. C'est tout près de chez nous. Tu sors d'ici, tu traverses la rue et tu vas vers la grande place. C'est au coin de notre rue et de la grande place, sur la gauche.
Alors, les tartes aux pommes, on les achète normalement à la pâtisserie. Tu sais, la pâtisserie est tout près de la boulangerie. Oui, la pâtisserie, c'est à côté de la boulangerie, sur la gauche, rue Blaise-Pascal. Tu comprends, hein? C'est facile, non?
Bon, pour le fromage, on va toujours au supermarché, d'accord? Il y a un bon choix là-bas. Ce n'est pas loin non plus. Tu vas jusqu'à la grande place et c'est en face de toi. Tu peux pas te tromper. Ça s'appelle Champion.
Bien, le dentifrice, tu l'achètes au supermarché, mais pour les aspirines, il faudra aller à la pharmacie. C'est en face de la boulangerie, juste en face, tu verras.
Et enfin, le journal. Alors, ça s'achète au bureau de tabac, avenue Paule. Tu vas jusqu'à la grande place et c'est à droite. Tu tournes à droite et puis c'est tout droit. C'est à 50 mètres, un peu plus, peut-être. C'est une toute petite boutique. Eh bien, voilà. Tu peux pas te tromper! C'est pas difficile, hein!
Voilà l'argent. À tout à l'heure!

2 Qu'est-ce qu'il y a à faire ici?

— Bonjour, monsieur. C'est la première fois que je viens à Cayeux. Qu'est-ce qu'on peut faire ici?
— Oh, il y a beaucoup de choses qu'on peut faire ici. Mais avez-vous entendu les prévisions météorologiques?
— Non, non, non.
— Dans le journal: vendredi 26 — une journée ensoleillée, très chaude avec des températures entre 26 et 30 degrés sur la côte. Le week-end sera un peu plus frais mais toujours ensoleillé.
— Mais super!
— Oui, il faut profiter du beau temps et nous avons de très belles plages à Cayeux.
— Quelles possibilités il y a pour faire du sport à Cayeux?
— Il y a des courts de tennis ouverts au public tous les matins.
— Ah bien. Et l'équitation, c'est possible?
— Ah, pour faire du cheval, il faut aller au Centre

de Loisirs. Vous pouvez faire des promenades en nature ou des promenades à l'heure ou à l'après-midi.
— Oui. Vous avez parlé d'un Centre de Loisirs?
— Oui, oui. C'est le Centre de Loisirs, rue Maréchal Leclerc, et le téléphone, c'est le 22 26 62 36.
— 22 26 62 36.
— Voilà, c'est ça. Et puis au Centre, ils font aussi des balades en chariots. C'est bien pour voir les alentours, vous savez.
— Oh oui, c'est vrai. C'est une bonne idée.
— Et puis au Centre de Loisirs, il y a également une école de voile. Vous pouvez faire du yachting si ça vous intéresse.
— Oh oui, oui, peut-être. Il y a une piscine?
— Ah non, mais écoutez, on a la mer.
— Oh! Bon! Et des grands magasins parce que je voudrais faire beaucoup de shopping.
— Mais non, on n'a pas de magasins malheureusement - pas de grands magasins. Il y a des petites boutiques. Pour les grands magasins, il faut aller jusqu'à Abbeville.
— Ah oui, d'accord. Il y a un marché aussi?
— Oui, nous avons un marché tous les mardis et les vendredis matin et il vaut le coup.
— Bon. Et puis si on veut se promener, c'est facile?
— Y a de belles promenades dans le Bois de Brighton. C'est un beau bois. C'est un bois de pins et puis il y a le phare aussi qu'on visite tous les jours en saison — sauf le dimanche.
— Ah ça, c'est une très bonne idée. J'y avais pas pensé.
— Et puis est-ce que vous avez vu le train touristique?
— Ah oui, oui. Je l'ai vu — tout à fait.
— C'est un train qui fait le tour de la baie de Somme —départs réguliers tous les après-midi en saison, mais il faut vous renseigner à la gare pou[r] les horaires.
— Ah oui, c'est super, parce que mon père, il ador[e] les trains à vapeur. Et pour moi, est-ce qu'il y a des discothèques? Des boîtes de nuit, ça serait bien.
— Discothèques? Oui, je crois qu'il y en a une au Casino. Mais vous feriez mieux de demander à mon fils.
— Ah oui. Bon. Merci, monsieur. Au revoir.
— Au revoir, mademoiselle.

3 On se rencontre où?

— Le train part à quelle heure? Deux heures et demie?
— Non, à deux heures quarante-deux. J'ai l'horaire ici, tu vois. Ne t'inquiète pas.
— Marc et Claudette, ils nous attendent au Café du Parc. On se retrouve à cinq heures, non?
— Ben, oui. Tu leur as téléphoné, hein?
— J'ai téléphoné hier soir. Claudette m'a dit qu'el[le] viendra.

Attends, écoute.

Nous avons le regret d'annoncer un retard de 25 minutes sur le train en provenance de Calais à destination de Paris Gare du Nord. Ce train n'arrivera pas comme prévu à 14 heures 42 mais devrait arriver en gare à 15 heures sept, quai numéro un. Nous vous prions de nous excuser de ce retard.

Ah non, alors! Il y a toujours des retards. Vraiment ils exagèrent. Qu'est-ce que nous allons faire? Il faudra téléphoner?

Le train à destination de Longueau arrive en gare quai numéro 4. Ce train est le 14 heures 18 qui s'arrête aussi à Amiens. Je répète - le train de 14 heures 18 à destination d'Amiens et de Longueau arrive en gare, quai numéro 4.

On devrait peut-être aller à Longueau. Au moins ce train partira à l'heure.

l'auberge de jeunesse

Bon. Alors, vous trouverez le dortoir des garçons, là-bas dans le couloir. C'est la première porte à gauche et votre lit, c'est le numéro 15. Vous, mademoiselle, le dortoir des filles se trouve justement en face de la porte des garçons.

Cette porte-là, juste en face?

C'est cela.

D'accord.

Vous avez des sacs de couchage?

Oui. Bien sûr.

Bien.

Est-ce que l'on peut fumer dans l'auberge?

Ah non, je regrette. Il est absolument interdit de fumer dans l'auberge.

Et est-ce qu'on peut manger?

Bien sûr. Vous pouvez préparer les repas dans la cuisine - au fond du couloir à droite. Mais n'apportez rien à manger ni à boire dans les dortoirs.

D'accord.

C'est compris?

OK.

Et vous n'oublierez pas de laisser la cuisine propre. Ah, encore une chose. Éteignez la lumière en sortant, s'il vous plaît.

D'accord. Et où se trouve la salle de bains, s'il vous plaît?

Eh bien, quand vous voudrez prendre un bain, vous viendrez ici me demander la clé, à la réception.

Est-ce que nous pouvons sortir le soir?

Bien sûr. Mais je vous préviens que l'auberge ferme à dix heures.

Dix heures!

Oui. Et en plus vous êtes priés de vous coucher avant dix heures et demie.

À dix heures et demie? Mon Dieu!

Oui. C'est comme ça.

— Est-ce qu'on a le droit d'avoir son Walkman dans le dortoir?
— Ah non, je regrette. C'est absolument interdit. Vous comprenez, ça risque de déranger les autres.
— Bon, d'accord. On a compris.

5 Mes émissions préférées

1

— Madame, excusez-moi, je voulais simplement vous demander si vous regardez la télévision.
— Ah oui. J'aime bien - quand j'ai le temps.
— Oui. Et est-ce que les films vous intéressent?
— Ah oui. J'aime beaucoup les films, surtout les films étrangers - italiens, surtout.
— Et les informations aussi, vous regardez les informations?
— Ah oui, je regarde toujours le *Journal de la Une*.
— Oui.
— TF1.
— Oui.
— Et puis je regarde aussi la météo. Et le *Journal de la région*.
— D'accord. Et le sport aussi, peut-être?
— Ah non. Absolument pas. Je déteste le sport.
— D'accord. Est-ce que la musique vous intéresse?
— Non, pas vraiment. Je préfère écouter les disques.
— Oui. Est-ce que vous regardez parfois les feuilletons?
— Oh, ça m'arrive. Vous voyez, par exemple, je suis *Santa Barbara* - c'est un feuilleton américain.
— Oui.
— Mais le reste de la famille le déteste.
— Et ... Très bien. Est-ce que vous regardez les jeux?
— Ah oui. J'aime bien. J'aime particulièrement *La roue de la fortune* et *Des chiffres et des lettres*.
— Ah oui, bien sûr. Et les documentaires vous intéressent?
— Oh non, pas spécialement. C'est un peu trop sérieux pour moi.
— D'accord. Merci, madame. Bonne journée.
— Merci.

2

— Bonjour, monsieur. Excusez-moi de vous déranger. J'aimerais savoir si vous regardez la télévision.
— Ah oui. Oui, oui. Je regarde la télévision.
— Et est-ce que vous regardez les films?
— Non. Non, les films très rarement.
— Très rarement?
— Oui.
— D'accord. Vous regardez donc peut-être plutôt les ... les informations, les actualités?
— Ah oui, oui. Les informations, les actualités - je regarde surtout les titres parce que ça m'intéresse énormément.

— D'accord. Très, très bien. Est-ce que le sport vous intéresse?
— Oui, oui ... surtout le dimanche. Je regarde le tiercé... le football.
— Très bien. Peut-être que la musique vous intéresse?
— Oui, une bonne émission de variétés, c'est bien. C'est agréable.
— Et est-ce que les feuilletons vous intéressent?
— Oui, je regarde un feuilleton australien - il s'appelle *Les jeunes docteurs*.
— *Les jeunes docteurs*?
— Oui. C'est bien parce que c'est pas comme les feuilletons américains... Il y a pas de violence. Je préfère.
— Oui, c'est plus calme, oui.
— C'est mieux.
— Est-ce que les jeux ... vous regardez les jeux?
— Ah non. Non, non. J'ai pas le temps pour ce genre de chose.
— Non. D'accord. Et les documentaires?
— Ah oui. Oui, oui. Un bon documentaire, c'est très bien. Justement hier j'ai regardé une émission très intéressante qui s'appelait *La conquête de l'espace*.
— Ah oui, oui.
— Ah, c'était très bien fait. C'était parfait.
— D'accord. Ben, écoutez, je vous remercie. Bonne journée, monsieur.

3

— Monsieur?
— Oui?
— Oui. Excusez-moi de vous déranger. Je voulais simplement vous demander si vous regardez la télévision.
— Oh oui, ça m'arrive.
— Oui. D'accord. Et est-ce que, entre autres, vous regardez les films?
— Ah oui, surtout les bons vieux films français ou les films qu'ils passent au Cinéclub.
— D'accord. Très, très bien. Oui. Et est-ce que vous regardez les actualités, les informations?
— Non. Normalement je lis le journal ou j'écoute la radio.
— D'accord. Le sport vous intéresse?
— Oui, quelquefois. Je regarde *Sport dimanche soir*.
— D'accord. Très bien. La musique?
— Je regarde simplement *Le Top Cinquante*.
— D'accord. Et les feuilletons?
— Oui. Je regarde *Dallas* et j'ai pas le temps pour les autres feuilletons.
— D'accord. Dans un genre différent, est-ce que les jeux ...?
— Alors, là, non, je trouve... c'est complètement stupide. Mais mon frère, par contre, les adore.
— D'accord. Et les documentaires?
— Ah oui. Ça, oui, ça m'arrive de temps en temps. Et, tiens, ce soir il y en a un que je voudrais voir.

C'est sur l'astronomie.
— Oui. Ben, je vous remercie. Bonne journée.

6 À ne pas manquer

— Bonjour. Nous sommes samedi six février et aujourd'hui, sur nos petits écrans, il y en a pour t les goûts.
À noter, tout d'abord, dans les programmes de l journée, une petite modification de dernière minute: le reportage sur le tango sur TF1 à 13 heures 15 sera remplacé par une émission spéc *Le championnat du monde de surf*, en direct de l'Australie.
Pour les amateurs de rugby, Antenne 2 retransm *Le tournoi des cinq nations* à 15 heures 30 — un match qui oppose la France à l'Écosse. À ne pa manquer!
Pour les amoureux des animaux, il y a non seulement *Trente millions d'amis* — également TF1 à 18 heures 05 — mais aussi un document de Canal + à 16 heures 10 qui permet de déco les tortues géantes des îles Galapagos. À 16 heu sur Canal +.
Si vous aimez le cinéma, à 20 heures 30, Canal propose un film plein de suspens et de mystère, intitulé *Sueurs froides*. C'est la première d'une sé de téléfilms qui est présentée par le grand mette en-scène, Claude Chabrol. *Sueurs froides*, à 20 heures 30 sur Canal +.
Et pour le jeune public, la première partie de *Dis Channel* de FR3 est à 17 heures 05. La seconde partie des dessins animés de *Disney Channel* est 20 heures 30, comme tous les samedis.
Enfin, pour les fidèles de *La montagne magique*, aujourd'hui le dernier épisode sur FR3. À signaler toutefois un petit changement d'horaire: *La montagne magique* commencera ce soir à 22 heures, une demi-heure plus tôt que d'habitude.

7 Vous avez un gîte à louer?

— Allô. Le 28 66 70 68.
— Oui. Bonjour, monsieur. J'ai lu une petite annonce à la Maison du Tourisme à Calais qu disait que vous aviez un gîte à louer.
— Mais absolument, madame. À votre service.
— Est-ce que je pourrais vous demander combie vous prenez pour le mois de juillet?
— Oui, alors, le mois de juillet, bien entendu, c'es haute saison et en haute saison les prix sont d 900 francs par semaine.
— Je vois. 900 francs par semaine?
— C'est bien cela, 900 francs.
— Et est-ce que le gîte est loin du village?
— Oh non, pas du tout. C'est à peu près à un kilomètre — donc, ce n'est pas loin.
— Oui et j'imagine qu'il y a une boulangerie, un supermarché et toutes les autres boutiques da le village même.

Absolument. Tous les commerces y sont et c'est à peu près à dix minutes à pied.

Mais ... est-ce que je pourrais vous demander — il y a un jardin?

Oui, absolument. Nous avons un jardin qui est partagé avec les locataires.

Ah bien, bien, bien, oui. Et quel système de chauffage avez-vous?

Alors, nous avons un chauffage à l'électricité. Le prix est inclus dans la location jusqu'à 4 kilowatts.

Ah, c'est intéressant. Je vous remercie. Et il y a bien trois pièces, n'est-ce pas, dans votre gîte?

Absolument. Une très grande salle de séjour avec un canapé-lit, une cuisine, une salle de bains et un balcon.

Un balcon! Ah ben, ça, c'est bien!

Oui, et en plus de ça, c'est un très joli balcon avec une très belle vue sur la rivière.

Et c'est à quel étage?

C'est au premier étage.

Mmm ... ça m'intéresse. Est-ce que je pourrais passer le voir demain? Je serai dans la région, vous comprenez.

Mais bien sûr, madame. Vers quelle heure?

Oh ... vers ... vers les 16 heures, si ça vous convient?

Mais absolument. Pas de problème. Est-ce que je peux vous demander votre nom et votre adresse, s'il vous plaît?

Bien sûr. Je m'appelle Catherine Boismont. Et j'habite au 21, rue Cauvin — C-A-U-V-I-N, à Amiens.

Très bien, madame. Je vous attends donc demain vers 16 heures.

Je vous remercie, monsieur. Au revoir.

Au revoir, madame.

Voici la cuisine

Bonsoir. Bienvenue à Fécamp. J'espère que vous allez passer de bonnes vacances chez nous. Voici le gîte.

La grande clé, c'est la porte d'entrée et la petite clé noire, c'est la clé du garage. Entrez, entrez, je vous en prie.

Asseyez-vous. Comme vous voyez, ceci est la cuisine. Vous avez la cuisinière là, au milieu. C'est une cuisinière électrique. Pour la mettre en marche, vous appuyez sur le bouton, là, derrière, sur le mur. Vous voyez? Bon, les casseroles, eh bien, les casseroles sont dans le tiroir, en dessous de la cuisinière. La poubelle se trouve dans le placard à gauche. Ah, et dans le tiroir, vous voyez là, il y a des couteaux, des fourchettes, des cuillères, etc. Ah, encore à gauche, il y a une machine à laver – très bien, n'est-ce pas? Et à côté de la machine à laver, eh bien, c'est le frigo. Ah là, tout de suite au-dessus de l'évier, le placard, là-haut, eh bien, il y a des assiettes, des tasses, des bols — tout ce qu'il faut.

L'autre placard — sur le mur là — avec les petites fenêtres, eh bien, c'est pour vos provisions. Vous voyez, il y a déjà du thé, du sucre. Ah! Je suis vraiment désolée, il n'y a plus de café. Il faudra en acheter. Il manque aussi du liquide-vaisselle. Mais on peut en acheter au supermarché, au coin.

9 Je peux laisser un message?

1

— Allô?
— Allô. Oui. Bonjour.
— Je peux parler à Michel, s'il vous plaît?
— Ah, il n'est pas là. Il est sorti.
— Ah — et il revient à quelle heure?
— Ah, il est allé chez le dentiste. Je pense qu'il revient à 11 heures.
— Ah! Je peux laisser un message, alors?
— Ah oui. Bien sûr. De la part de qui?
— Je m'appelle Annick Dassin.
— Vous pouvez m'épeler votre nom?
— Oui. Bien sûr. D-A-S-S-I-N.
— Alors, D-A-S-S-I-N et Annick.
— Bien. Alors, voici le message. C'est une réunion ... c'est la réunion du Cinéclub qui aura lieu dimanche soir à 19 heures.
— Alors, attendez, je vais noter — réunion du Cinéclub, dimanche soir, 19 heures.
— Oui et c'est chez Pierre.
— Chez Pierre. Et est-ce que Michel connaît l'adresse?
— Ah, peut-être pas. Bon, alors c'est le 35, avenue de la Poste.
— 35, avenue de la Poste. D'accord.
— Oui. Et c'est au troisième étage.
— D'accord. Bon, ben, je lui laisserai un message.
— Oui. Merci bien. C'est très gentil.
— De rien. Au revoir.
— Au revoir.

2

— Allô! Allô? Mami? Ici, c'est Éric.
— Éric? Bonjour. Mais qu'est-ce qu'il y a? On t'attendait.
— Ah, je sais. J'ai un problème. Nous sommes sur l'autoroute, pas loin de Dijon et la voiture est en panne.
— En panne? Mais ... Et c'est grave?
— Non, non, je crois pas. C'est un problème avec les freins.
— Oh, là, là!
— Écoute. Je viens de téléphoner au garage et il y a un mécanicien qui va venir bientôt — dans une demi-heure.
— Mais alors, tu vas arriver en retard.
— Ah oui, c'est pour ça que je t'appelle. On sait

— pas à quelle heure on va arriver. Tu pourrais avertir Françoise?
— Françoise? Mais elle n'est pas encore là. Mais je lui ferai la commission.
— Merci beaucoup. Écoute. Il faut que je parte.
— Au revoir.
— Au revoir.

3

— Allô?
— Allô, oui. Qui est à l'appareil, s'il vous plaît?
— C'est Madame Becker. Je suis la secrétaire de Monsieur Jones à Manchester. Je voudrais parler à Monsieur Landais, s'il vous plaît.
— Ah malheureusement, Monsieur Landais n'est pas ici aujourd'hui. Est-ce que je peux prendre un message?
— Merci. Pourriez-vous lui dire — il n'y a pas de train direct entre Perth et Édimbourg. Je lui conseille de prendre l'autocar. Il y en a un qui part à huit heures et demie. Je viendrai le chercher à la gare routière à Édimbourg.
— Alors — huit heures et demie — gare routière Édimbourg. Très bien. Ben, écoutez. Je lui laisserai un message.
— Merci, monsieur.
— Au revoir.
— Au revoir.

Cassette 1 Side B

10 Parlez-vous des langues étrangères?

— Bonjour, monsieur. Je voudrais me renseigner sur les vacances linguistiques, s'il vous plaît. Est-ce que vous avez des brochures à me donner?
— Non, hélas, nous n'avons pas encore de brochures, mais je peux vous en donner des détails. Ce serait pour des cours d'été?
— Ah oui, les cours d'été, ça m'intéresse.
— Bien, nous organisons des séjours en Angleterre, en Allemagne, en Espagne. Ce serait pour quelle langue?
— Ah, ce serait pour l'espagnol. J'aime l'Espagne, et ça m'intéresse.
— Très bien. Nous avons en été des cours intensifs d'espagnol à Madrid.
— À Madrid?
— Oui. Quel est votre niveau? Vous parlez déjà un peu l'espagnol?
— Ah non, je ne parle pas. Je parle très mal.
— Bien, ce serait donc le niveau élémentaire?
— Oh oui, oui, je crois que c'est ce qu'il me faut. Et ça dure combien de temps, les cours?
— Alors le stage de trois semaines.
— Trois semaines. Et il y a combien d'heures de cours?
— Il y a quatre heures de cours par jour.

— Ah ...
— Tous les jours sauf le dimanche.
— Sauf le dimanche. Et est-ce qu'il y a beaucoup d'étudiants?
— Ah oui, c'est une grande école. Mais par contre, les classes ne sont pas grandes. Vous avez de di à quatorze étudiants.
— Dix à quatorze étudiants? C'est bien. Il n'y a pas trop de monde. Et est-ce que vous avez les dates?
— Oui. Il y a deux stages — le premier du 3 juillet au 20 juillet ...
— Mmm...
— ... et le second, l'autre stage, du 23 juillet au 9 août.
— D'accord. Je prends note. Et est-ce qu'on est logé...? Est-ce qu'il y a un hôtel?
— Oui, il y a quelqu'un à Madrid qui s'occupe de tout ça. En général la plupart des étudiants préférent loger chez une famille espagnole.
— Mais oui, c'est mieux. Et les prix, c'est combien à peu près?
— Alors, tout ça dépend. Par exemple, la pension complète - 700 francs par semaine.
— 700 francs, oui. C'est bon, d'accord. Ça me convient.
— Bien. Alors, écoutez, dans ce cas-là, laissez-moi votre nom et votre adresse et je vous enverrai la brochure la semaine prochaine avec tous les détails — tarifs, fiches d'inscription, etc.
— Ah, c'est très bien. Je vous remercie, monsieur.
— Je vous en prie, mademoiselle.
— Vous êtes bien aimable. Au revoir, monsieur.
— Au revoir, mademoiselle.

11 Un job pour les vacances

— Chers auditeurs, bonjour! Ici Daniel Marianni. Aujourd'hui nous avons des offres et des demandes de travail. Écoutez bien. Vous trouverez peut-être un petit boulot qui vous irai bien.
— Bonjour. Je m'appelle Madame Gélamur. Je su divorcée et je cherche une jeune fille pour s'occuper de mes deux enfants lorsque je travaille. Je cherche une personne sympathique qui aime les enfants, et qui est âgée de 15 ans au moins. Les heures de travail seraient de huit heures du matin à midi et demi, cinq jours par semaine, c'est-à-dire, du lundi au vendredi. Je paierai 20 francs de l'heure - 450 francs pour la semaine.
— Je m'appelle Jean-Jacques Bourçois. Je suis propriétaire d'un café dans le centre-ville. Voilà Je cherche deux jeunes - filles ou garçons entr 15 et 20 ans pour me donner un coup de main le week-end pendant la période des vacance Le travail, c'est surtout dans la cuisine - faire la vaisselle - mais c'est aussi débarrasser les table

balayer et ranger un peu. Nous commençons le travail à sept heures et demie et la journée est longue - jusqu'à neuf heures et demie le soir. Il y a une pause l'après-midi, entre deux heures et demie et cinq heures et demie. Le salaire, c'est 400 francs.

– Je m'appelle Marie-Françoise Charpentier et je représente la Société Lavialle. Nous cherchons des jeunes gens pour un travail à plein temps ou à mi-temps. Nous cherchons des jeunes gens intelligents, polis et de bonne apparence, de préférence ayant déjà une expérience professionnelle. Le salaire est variable selon l'expérience du candidat et l'âge minimum est de 16 ans.

– Et maintenant, employeurs, écoutez bien! Il y a des jeunes capables et enthousiastes qui sont désireux de vous aider.

– Salut! Je m'appelle Stéphan Beccaria. J'ai 16 ans. Je cherche du travail dans un garage ou dans une station-service car j'aime les voitures et je prépare un BEP de mécanicien.

– Bonjour. Mon nom est Valérie Dibango et j'ai 17 ans. Je cherche du travail dans une boutique. Je ne suis pas libre le matin car je m'occupe de mes petits frères et sœurs et je cherche donc du travail à mi-temps pour l'après-midi seulement. J'ai déjà travaillé dans une banque l'été dernier.

– Bonjour. Je m'appelle Isabelle Louré. J'ai 15 ans et demi. Je cherche du travail pour le mois de juillet. J'aimerais travailler dans le tourisme. Je parle couramment l'anglais, comme ma mère est anglaise, et aussi un peu l'allemand. Je suis sérieuse et très travailleuse.

– Bonjour. Ici Frédéric Vidal. Je suis complètement fauché et je dois trouver quelque chose à faire pendant les vacances. Mes parents disent que je ne suis bon à rien, mais ce n'est pas certain. J'ai 18 ans et je suis très sportif. Avez-vous un travail à me proposer? Je ne veux pas travailler le soir et, si c'est possible, j'aimerais travailler en plein air. C'est tout pour cette semaine. À la prochaine!

2 Vacances au camping

– Dis donc, tu as vu les photos de mes vacances à Argelès?

– Non, mais j'aimerais bien les voir. Alors, t'es allée faire du camping?

– Oui, oui, c'était ça.

– Et c'était bien?

– C'était super! Regarde celle-là. Alors on est avec la voiture là, à côté de notre emplacement. Ça c'était le jour de notre arrivée.

– Vous êtes en train de décharger la voiture?

– Ah oui, bien sûr.

– Il a l'air chouette, le terrain. Il a l'air ...C'est un très beau terrain.

– Oh oui, il était vraiment bien. Il y avait beaucoup

d'arbres, beaucoup d'ombre - vraiment c'était très agréable.

– Remarque, il vaut mieux, hein, l'été, avec le soleil, hein?

– Oh oui, c'est sûr. Tiens, là, on est en train de monter la tente.

– C'était difficile?

– Non, c'est pas dur.

– Et qui c'est là, à droite?

– Ça, c'est Yannick.

– Et qu'est-ce qu'il est en train de faire?

– Ben, Yannick, il est en train de gonfler le matelas pneumatique.

– Quoi, il n'y avait pas de lits?

– Non, mais les matelas, c'est très confortable, c'est très bien, ça suffit. Ah, celle-ci, c'est ma mère. Elle est devant la tente.

– Dis donc, la tente, elle a pas l'air vraiment très grande, hein?

– Non, mais tu sais, pour deux adultes, deux enfants et un chien, ça va bien.

– Un chien? Parce que les animaux sont admis?

– Oui, tout à fait. Enfin, les chiens seulement. Tiens, celle-là, ça, c'est mon père. Il est devant le bloc sanitaire. Super, ce bloc, hein, très moderne, très propre - toilettes, douches ... Mais l'eau, quand même, n'était pas toujours très chaude. C'est dommage.

– Et là, qu'est-ce que c'est là, le bâtiment au fond?

– Ça, c'est le restaurant.

– Un restaurant? Sur place?

– Oui, oui, tout à fait. Là, je suis avec un ami dans la salle de jeux.

– Mais, qu'est-ce que vous faites là? Vous jouez au babyfoot?

– Ouais, c'est super, babyfoot. J'adore. Tiens... Puis j'aime bien la ... le ping pong aussi. C'est bien.

– Dis donc, ton petit ami, là. Il a l'air très mignon.

– Ah oui. Ça, c'est Roland. Tiens, le voilà encore une fois, avec Yannick sur la plage. Ils sont en train de jouer au frisbee.

– Est-ce qu'il a fait beau?

– Oh oui, il a fait beau tous les jours. Pas un seul nuage.

– Mmm, c'était génial.

– Sauf le dernier jour. Il y a eu un orage. J'ai vraiment eu peur sous la tente.

13 Une voiture de location

1

– Bonjour, madame.

– Bonjour, monsieur.

– Voilà, j'ai une fille de 19 ans qui vient d'avoir son permis de conduire. Est-ce qu'elle peut louer une voiture?

– Je suis désolée. Pour louer une voiture, il faut avoir au minimum 23 ans et puis posséder son

permis depuis plus d'un an, monsieur.
— Ah, je vois. Eh bien, merci beaucoup.

2

— Bonjour, madame.
— Bonjour.
— J'imagine que si je loue une voiture dans cette ville, je ne peux pas la laisser dans une autre ville à la fin de mon voyage?
— Mais si, madame. Votre véhicule peut nous être retourné à n'importe quel de nos points de location. Nous en avons deux cents dans toutes les villes de France.
— Je suppose, donc, qu'il faut payer un supplément?
— Non, non, c'est sans frais supplémentaires.

3

— L'assurance n'est pas comprise dans vos tarifs?
— Mais si, monsieur. Voici un dépliant. Il vous expliquera tous les détails.
— Très bien. Et les taxes?
— Alors, les tarifs toutes taxes comprises ou hors taxes sont indiqués. C'est comme vous préférez. Seule...seule l'essence n'est pas comprise, monsieur.
— Ah!

4

— Je cherche une voiture économique.
— Oui. C'est pour combien de personnes, madame?
— Pour quatre personnes.
— Alors, nous avons une Renault 5, quatre places. C'est économique, 225 francs par jour, toutes taxes comprises.
— Vous n'avez pas de Polo?
— Mais si, nous avons une Polo. C'est très économique également – 211 francs par jour. C'est un prix plus raisonnable.
— Euh, oui. C'est une quatre portes?
— Non, c'est une deux portes, madame.

5

— Alors, voici les clés de votre voiture, monsieur. Vous êtes britannique?
— Oui, oui, oui.
— Faites attention, monsieur. En France on roule à droite!
— Oui. Le système de priorité à droite est très compliqué?
— Mais non, pas du tout. Vous n'aurez pas de problème.
— Ah bien. Nous allons à Lyon. Avez-vous une carte routière?

— Ah, je regrette, monsieur. Mais c'est très simple. Vous prenez l'autoroute. C'est direct.
— Bien. J'espère qu'il n'y aura pas de déviations.

14 Faites connaissance

— Bonjour. Moi, je m'appelle Caroline. Et vous, vous êtes bien l'ami de Salima, n'est-ce pas?
— Oui.
— Venez. Je vais vous expliquer un peu qui sont tous ces gens. Alors, vous voyez, là-bas, debout, près de la fenêtre, il y a mon petit frère. Il s'appelle Michel. Mais, bon, tout le monde l'appelle Mickey – vous voyez, avec le pull-over rayé? C'est celui qui rit. Il a 14 ans. Il est très sportif. Il adore tous les sports. Regardez là, à côté de lui, il y a la fille blonde avec des cheveux longs. C'est la fille à qui il parle. C'est ma cousine, elle s'appelle Stéphanie. Elle est étudiante en médecine. Oui? Elle veut être médecin, quoi, docteur. Elle est très intelligente. Et puis à côté d'elle, il y a une dame là, qui regarde le disque. Alors ça, c'est la mère de Stéphanie. C'est ma tante Marianne. Vous voyez celle qui porte des lunettes. Elle est très sympa. Elle est professeur de musique. Bon, est-ce que vous avez déjà rencontré le barman? Non? Le gros là, c'est celui qui porte le T-shirt blanc. Alors lui, c'est mon grand frère. Il s'appelle François. Il est divorcé, vous savez. Il travaille dans un grand restaurant à Bordeaux. Il est chef de cuisine. Mais il faudrait que vous me rendiez visite chez moi, avant votre départ. Oui? Alors j'habite Charly. C'est un petit village à quatre kilomètres d'ici. Bon, le village n'est pas grand, mais la maison est facile à trouver. Alors, l'église, ça se voit de loin... et comme nous sommes pratiquement en face de l'église, hein, c'est très facile. Alors, vous prenez la rue en face de l'église et nous sommes la deuxième maison sur la gauche, oui? Alors, c'est une maison blanche à deux étages avec une porte rouge. La maison est très moderne et puis il y a des arbres dans le jardin. Bon. Alors, venez déjeuner avec Salima si vous voulez.

15 On prend rendez-vous

1

— Allô. Bonjour. Ici Patrick, ton correspondant irlandais. J'appelle pour te dire que j'arrive jeudi avec le ferry de 14 heures et je voudrais savoir tu peux venir me chercher au port. Je porterai blue jean, un anorak noir et un sac à dos. Alors je te répète l'heure – c'est jeudi avec le ferry de 14 heures. À bientôt.

– Salut! Ici Youssef. J'ai envie d'aller au cinéma
mercredi après-midi. Ma sœur a vu un film ...
comique ... au Gaumont, je crois. Ah super! Tu
veux venir? La séance commence à trois heures
dix. Rappelle-moi si t'es libre.

3

– Allô. C'est Sophie à l'appareil. Je t'appelle pour
savoir si tu veux aller à la réunion des Amis de la
Terre vendredi soir. Ça commence à sept heures
et demie. On ...on pourrait y aller ensemble. On
pourrait se retrouver devant l'Hôtel de Ville à sept
heures 20. Appelle-moi si tu ne comptes pas y
aller, hein? Alors, sept heures 20 devant l'Hôtel de
Ville. Au revoir. À bientôt.

– Bonjour. Ici le cabinet dentaire. Madame
Lamotte à l'appareil. Je regrette d'avoir à vous
dire que nous devons annuler votre rendez-vous
chez le dentiste pour samedi matin. Je voudrais
savoir – est-ce qu'il vous serait possible de venir
plus tard dans la journée, par exemple à 16
heures 35? Si cela vous convient, pourriez-vous
être assez gentille de me le faire savoir? Je vous
remercie. Au revoir.

6 L'installation

– Bon alors, la grande armoire, vous la mettrez
dans la chambre principale – en face de la salle
de bain, au premier étage.
– D'accord. Alors, la grande armoire dans la
chambre principale en face de la salle de bain
au premier étage. Bon, ben, d'accord.
– Ça va passer? L'escalier est assez étroit.
– Óh mais oui, c'est sans problème. Ça va bien
passer. Et la petite armoire?
– La petite armoire, c'est dans la chambre des
enfants.
– La grande, hein?
– Oui, dans la chambre qui donne sur la rue.
– C'est d'accord.
– Et la chaîne stéréo, elle va dans la salle de
séjour. Oh, vous faites très attention parce que
c'est très fragile.
Ne vous inquiétez pas. C'est sans problème.
Bon, alors, il y a aussi ... la table noire avec les
quatre chaises qui vont avec. Ça va dans la
salle à manger.
Bon, alors, la salle à manger, c'est la première
porte à gauche, en entrant? C'est ça?
Non, non, non. Ça, c'est la salle de séjour.
Ah!
La salle à manger, c'est la deuxième porte à
gauche après la salle de séjour.

– Salle à manger – deuxième porte à gauche
après la salle de séjour. D'accord. Et le
congélateur?
– Alors, le congélateur... c'est dans la cuisine, en
face de vous en entrant. Il y a déjà le frigidaire
là-bas.
– Bon, d'accord. Donc, le congélateur dans la
cuisine en face de moi, à côté du frigo. Bon,
ben, c'est d'accord.
– Voilà. Et tous les fauteuils, vous les mettrez dans
la salle de séjour. C'est la première porte à
gauche.
– Bien. Donc, d'accord. Et la télévision, je mets ça
dans la salle de séjour aussi?
– Oui, oui, oui.
– Bien. Et il y a un canapé?
– Un canapé? Non, non, nous n'avons pas de
canapé. Nous devons en acheter un.
– Ah bon.
– Il y a juste les fauteuils.
– Bien. Et tous ces cartons-là et ces caisses?
– Alors, qu'est-ce qu'il y a là, dans les cartons et les
caisses? Des draps, des couvertures et des
oreillers.
– Bien, alors, je laisse tout ça sur les lits ou quoi?
– Oui, oui, sur le lit dans la chambre des enfants.
Je ferai les lits et je rangerai tout le reste dans le
placard quand vous aurez fini. C'est tout?
– Ah, non, la... le miroir là-bas? Je mets ça où?
– Le miroir, vous le mettez dans ma chambre. C'est
la chambre principale en face de la salle de
bains. Et vous faites très, très attention, hein?

17 En attendant le médecin

– Bonjour, Madame Poirson, ça va?
– Bonjour, docteur.
– Alors, il y a beaucoup de monde aujourd'hui?
– Ben, en ce moment il y a quatre patients dans la
salle d'attente.
– Qui est la première?
– Madame Martineau.
– Qui est-ce? Je ne la connais pas.
– Mais oui, vous savez, une petite dame grosse.
– Une petite dame grosse? Ah, elle porte des
lunettes?
– Voilà! C'est ça. Elle s'est cassé le bras en faisant
du ski.
– En faisant du ski? Ah oui, je me souviens, le bras
cassé!
– Oui. À mon avis, elle doit être plutôt maladroite.
– Ensuite?
– Ensuite, il y a Jacques Bosquet qui est tombé de
bicyclette et qui a très mal à la tête. Encore un
autre maladroit!
– Jacques Bosquet? C'est le fils du père Bosquet?
Un grand, un très grand même, avec une barbe?
– Voilà, c'est ça. Un monsieur très, très grand avec
une petite barbe, oui. Ensuite vous avez

Mademoiselle Fabre qui est journaliste, vous savez, très élégante, un peu trop mince à mon avis. Enfin, elle a la grippe. Elle a très mal à la gorge et elle est enrhumée.
— Et elle a de la fièvre?
— Non, elle dit que sa température est normale. Mais elle a l'air malade, elle a l'air vraiment très fatiguée. À mon avis elle devrait rester au lit, se reposer quelques jours.
— Bon, ben, on verra.
— Puis vous avez Frédéric Gauthier – il est encore ici.
— Encore! Qu'est-ce qu'il raconte cette fois-ci?
— Cette fois-ci il s'est coupé le doigt.
— Et c'est grave?
— Non, c'est pas très grave mais il s'inquiète, comme toujours, vous savez. À mon avis, il devrait s'acheter du sparadrap.
— Bien. Allez, au travail. Faites entrer Madame Martineau, s'il vous plaît.

18 Mon animal préféré

1

— Moi, j'ai un chien. C'est un basset. Il s'appelle Véga. Toute la famille était d'accord pour l'avoir. Nous avons fait un très bon choix. Véga est très gentil. C'est un bon compagnon et surtout il nous est très fidèle. Il aime beaucoup les enfants. Il passe tout son temps à jouer avec mes petites sœurs et il garde la maison. Mais ce n'est pas vraiment un chien de garde, il n'est pas très méchant. Oh bien sûr, il y a des désavantages à avoir un chien. Il mange beaucoup. Ça coûte très cher. Et puis il a besoin d'exercice. Il faut le promener tous les jours, même s'il pleut ou s'il gèle. Et il fait beaucoup de bruit. Il aboie trop fort parfois. Si vous choisissez un chien, n'oubliez pas de le faire vacciner par le vétérinaire pour qu'il ne tombe pas malade. C'est très important.

2

— Moi, j'ai un chat. Tout le monde l'appelle Popeye. Je l'aime beaucoup. Il est très beau. Il est gris. Il a d'énormes yeux verts et il ronronne tout le temps. Il est bien gros. C'est une vraie boule de fourrure grise – toute ronde. C'est bien, les chats, parce que c'est très indépendant. Ça demande pas beaucoup de travail et ils se débrouillent tout seuls. Et puis ils chassent les souris. Le seul problème, c'est qu'il aime sortir seul le soir et j'ai peur de le perdre. Si vous choisissez un chat, il faut s'en occuper et il faut bien brosser les poils. Il faut bien les brosser parce qu'ils perdent leurs poils.

19 Correspondant(e)s

1

— Bonjour. Je m'appelle Jacqueline. J'ai 15 ans. Je suis en troisième au Collège Jeanne d'Arc. Je suis bonne en maths et en anglais. Par contre, je suis pas très forte en français et ma matière préférée c'est l'histoire. J'aime le sport, surtout le handball et le ski. Quand j'ai le droit de sortir, j'aime bien aller en boîte et puis au cinéma aussi.

2

— Salut. Je m'appelle Jean-Marc. J'ai 15 ans et je suis en troisième. Au collège mes matières préférées sont la géographie et les sciences naturelles. Par contre, je déteste le sport et les travaux manuels. L'année prochaine je pense quitter l'école pour travailler avec mon père à la boulangerie. En dehors de l'école, j'aime rigoler et sortir avec mes amis. Et j'aime aussi regarder *Voisins* à la télé.

3

— Salut. Je m'appelle Aidra. J'ai 14 ans. J'aime bien l'école. Mes matières préférées sont les sciences et les langues. J'aime énormément l'informatique. D'ailleurs, mon passe-temps favori est de composer des programmes pour l'ordinateur. Par contre, en français je suis pas très forte – je ne suis pas très bonne en littérature. En dehors de l'école, ben, je n'ai pas beaucoup de temps libre. Après les cours, je dois aider mes parents à la maison. J'aime bien écouter la musique. Mon chanteur préféré est Michael Jackson.

20 Au bureau de poste

— Bonjour, monsieur. Je peux vous aider?
— Ah bonjour, mademoiselle. Je veux envoyer deux lettres aux États-Unis. C'est combien, s'il vous plaît?
— C'est par avion?
— Oui, par avion.
— Bon, alors, une lettre par avion qui fait moins de dix grammes, ça fait trois francs 50, monsieur.
— Trois francs 50 pour une lettre?
— Oui. Oui, trois francs 50.
— Ah, très bien. Je... je prends deux timbres, s'il vous plaît.
— Voilà. Vous êtes américain?
— Oui... je viens de San Francisco. Mais je suis en France pour mes vacances.
— Ah oui, je vois. Est-ce que c'est tout?

Non. Pour la Grande Bretagne, c'est combien?
C'est pour une lettre?
Oui et aussi une carte postale.
Bon. Alors, une lettre, une carte postale, c'est le même prix pour la Grande Bretagne. Ça fait deux francs 30.
Bien. Alors, donnez-moi deux timbres à deux francs 30, s'il vous plaît.
Deux timbres à deux francs 30.
C'est tout.
Alors, deux timbres à deux francs 30, ça fait quatre francs 60, plus deux timbres à trois francs 60. Onze francs 60 en tout, monsieur.
Voilà.
Vous n'avez pas les dix centimes, s'il vous plaît?
Je suis désolé. Je n'ai pas de monnaie.
Bon, ce n'est pas grave.
Et où est-ce que je peux poster les lettres, s'il vous plaît?
C'est facile. Vous avez une boîte aux lettres jaune, juste au dehors, monsieur. Bonnes vacances.
Merci, mademoiselle.
Au revoir.

On arrive à l'hôtel

Bonjour, monsieur.
Bonjour, madame.
Vous avez des chambres de libre, s'il vous plaît?
Vous avez une réservation?
Ah non.
Écoutez, je suis désolé. Cette semaine l'hôtel est complet. Par contre, vous pourriez essayer l'Hôtel Arcade, qui est en face. Il est moderne, très propre, très correct. Peut-être pourront-ils vous aider.
Ah, je vous remercie, vous êtes trop aimable.
Merci, monsieur, et au revoir.
Au revoir, madame.

Bonjour, monsieur.
Bonjour, madame.
Vous auriez des chambres de libre, s'il vous plaît?
Pour combien de personnes?
Pour quatre personnes - mon mari, moi, deux enfants - une fille de sept ans et un petit garçon de quatre ans.
Je peux vous donner une chambre de famille.
Une chambre de famille? Ça consiste en quoi?
C'est un grand lit et deux lits jumeaux. Ou peut-être vous préférez deux chambres à deux lits?
Non, non. Je préfère la chambre de famille.
Oui, c'est mieux avec des petits enfants. Il y a une salle de bains?
Attendez que je regarde. Oui, il y a une douche avec un cabinet de toilette.
Bon, ça ira.
Et vous comptez rester combien de nuits?

— Deux nuits.
— Bien, alors, je crois que la chambre 52 est libre. C'est une très belle chambre au quatrième étage.
— Au quatrième étage! Vous n'avez rien d'autre?
— Non, écoutez, il y a un ascenseur. Il est là, à gauche, après l'escalier.
— Ah oui. Et quel est le tarif?
— Le tarif, c'est 250 francs la nuit et le petit déjeuner en plus, 18 francs par personne.
— Bon, eh bien, eh bien, je vais la prendre. Merci.

22 Le départ de l'hôtel

— Ah, Monsieur Morton. Bonjour.
— Bonjour.
— Alors, vous partez aujourd'hui?
— Eh oui, oui. Est-ce que vous avez préparé ma note?
— Oui, j'ai préparé votre note. Attendez ...une chambre à un lit, trois nuits et petit déjeuner, c'est ça?
— C'est cela. Une chambre à un lit, trois nuits et le petit déjeuner, très, très bien. C'est exact.
— Oui, alors, 660 francs.
— Bon. Est-ce que vous acceptez les chèques de voyage?
— En dollars américains ou en francs suisses seulement.
— Ah, problème. Je n'ai que des livres sterling. Y a-t-il un bureau de change?
— Ah, vous pouvez changer de l'argent à la banque en face. C'est la Banque de Paris - mais elle est fermée. Elle n'ouvre qu'à dix heures.
— Bon, ce n'est pas grave. Est-ce que vous acceptez les cartes de crédit?
— Oui. Pas de problème.
— Très bien. Voilà. Vous voulez mon passeport?
— Non, non, la pièce d'identité n'est pas nécessaire. J'ai seulement besoin de votre signature. Vous pouvez signer là, s'il vous plaît?
— Très bien. Voilà.

23 Un bon restaurant

1

— Un bon restaurant? Ah oui, mais alors, il faut faire attention. Les restaurants, surtout les bons restaurants, sont souvent très chers. Tenez, un qui est bon, c'est La Brasserie Le Globe. C'est rue de la Ferté, juste en face du cinéma. Alors, c'est un endroit très simple, un endroit pas snob où on peut s'amuser. Et alors, je vous conseille fortement la soupe aux poissons qui est délicieuse. Et puis ensuite, je prends toujours les moules-frites. Eh bien, oui, c'est comme en Belgique. Vous savez ce que c'est? Bien, on vous sert un grand bol de moules et à côté, vous avez une grande assiette de frites. Oh, c'est bon, c'est merveilleux, puis ça dure longtemps. Les crêpes aussi sont excellentes. Elles sont très, très bonnes et pas du tout chères. Mais allez-y, essayez!

2

— Alors, comme restaurant? Vous aimez la cuisine italienne? Parce que moi, je l'adore, surtout les pizzas. Il y a une pizzeria près du port. Ça s'appelle Le Drakkar. Oh, l'extérieur, ça n'a rien d'exceptionnel mais on mange bien. Il y a une bonne ambiance. Il y a aussi de la musique. Et il y a aussi un bon choix de plats végétariens. Parce que moi, vous savez, je mange peu de viande. Je choisis souvent un plat végétarien. Bon, ben, si vous voulez, je vous écris le nom et l'adresse.

3

— Un restaurant? Ah bien, le meilleur, c'est sans doute Les Quatre Saisons. C'est dans la vieille ville, sur la Place de la Croix L'Abbé. Il y a plusieurs menus à prix fixe allant de 50 à 150 francs – donc, vous avez le choix. Là, on y mange vraiment bien. Nous, on y va pour des repas de fêtes ou pour des occasions un peu spéciales comme des mariages, des anniversaires, etc. La qualité et la présentation sont excellentes. Vous ne serez pas déçu.

4

— Oh, vous savez, les restaurants, c'est trop cher pour moi. J'y vais très rarement. Mais par contre, je vais assez souvent dans un salon de thé qui n'est pas mal du tout. Ça s'appelle le Salon de Thé Martel. Martel, M-A-R-T-E-L. C'est au premier étage. Ah, il y a une vue sur la baie qui est superbe. Et puis là, bien, évidemment, on prend du thé. Puis on mange une pâtisserie ou une glace. C'est vraiment très agréable.

24 Le menu, s'il vous plaît

— Oui, ce petit restaurant est très, très bon et pas cher du tout. Vous avez faim?
— Ah, très faim!
— Alors, il y a une carte avec deux menus – un à 55F et puis un autre à 85F et puis, bien sûr, il y a le plat du jour.
— Et aujourd'hui le plat du jour, qu'est-ce que c'est?
— On demandera, on demandera. Monsieur, s'il vous plaît! Nous voudrions commander.
— Tout de suite!
— Quel est le plat du jour?

— Aujourd'hui, le poulet au riz.
— Du poulet avec du riz?
— Oui, oui, oui. Vous aimez le poulet?
— Moi, non. Personnellement je préférerais une salade.
— Ben, vous avez la liste, là. Et nous avons plusie salades.
— Bon, eh bien, pour moi une salade du chef, s'i vous plaît.
— Et moi, je prendrai une côte de porc.
— Plus de côtes de porc aujourd'hui.
— Bon, ben, une escalope panée, alors.
— Très bien. Alors, donc, une salade du chef, une escalope et puis pour moi, eh bien, eh bien, u plat du jour – le poulet.
— Alors, je répète – une salade du chef, une escalope et un plat du jour, le poulet. Et com boisson, du vin.
— Ah non, pas de vin pour moi. De l'eau.
— Maggie, tu aimes le vin, non?
— J'adore.
— Alors, une bouteille de vin rouge.
— Réserve du patron?
— Oui. Oui, oui, très bien. Et une carafe d'eau, s'i vous plaît.
— Et comme dessert?
— Moi, ah bon, moi, je prends toujours la tarte a citron qui était délicieuse, d'ailleurs.
— Alors, une tarte au citron pour moi aussi.
— Pour moi, je prendrai une mousse au chocola
— Ah écoutez, la mousse au chocolat est finie.
— Plus de mousse!
— Eh non!
— J'ai pas de chance. Ben, je prendrai une crèm au caramel, alors.
— Très bien.

25 Cuisine pour tous

— Chers auditeurs, bonjour! Aujourd'hui, eh bien, nous sommes heureux de vous présenter Madeleine Monod, qui, je vous le rappelle, est chef de cuisine du Restaurant Guillaume de Normandie à Franconville. Madeleine va conf à nos auditeurs de *Cuisine pour tous* aujourd't les secrets d'une de ses recettes. Madeleine!
— Oui, bonjour! Eh bien, aujourd'hui, j'ai choisi po vous une recette très, très simple et vous verre. c'est très vite fait. Ce sont les Œufs Mimosa.
— Les Œufs Mimosa.
— C'est cela. Alors, pour commencer, vous prene quatre œufs durs et, plus une cuillerée de ketchup et deux cuillerées de mayonnaise et puis du persil.
— Alors, je répète pour nos auditeurs – une cuille de ketchup, deux cuillerées de mayonnaise e du persil.

— C'est cela. Alors, d'abord, vous prenez les œufs durs et vous retirez les coquilles.
— Mmm.
— Puis, vous coupez chaque œuf dans le sens de la longueur. Ensuite, vous retirez les jaunes.
— D'accord, donc, on n'utilise que les blancs.
— Ah non, non, non. Ne jetez pas les jaunes. On va se servir de tout. Vous écrasez les jaunes dans un bol avec une fourchette. Puis vous ajoutez la mayonnaise aux œufs écrasés et vous mélangez bien le tout. Ensuite, vous mettez la moitié...
— Attendez... La moitié, oui.
— Oui, dans un deuxième bol et vous ajoutez le ketchup. Vous mélangez bien le tout et vous avez une très jolie... la couleur rose.
— Oh, c'est joli!
— Vous remplissez les blancs, quatre, avec le mélange jaune et quatre avec le mélange rose. Vous arrangez ... sur une assiette que vous décorez avec du persil.
— C'est tout?
— Oui, c'est tout. Vous voyez comme c'est facile.
— C'est très facile. C'est vraiment rapide et très simple, et c'est possible pour tout le monde. Merci d'être venue. Au revoir.
— Au revoir.

26 Le bon rayon

— Excusez-moi, madame. Le vin, s'il vous plaît?
— Oui, vous le trouverez au rayon alimentation.
— Très bien, mais où se trouve le rayon alimentation, s'il vous plaît?
— Au sous-sol, monsieur. Vous y trouverez un très grand choix de vins.
— Je vous remercie, madame.
— Je vous en prie, monsieur.

Bonjour, monsieur. Est-ce que je peux vous aider, peut-être?
Oui. Les crayons feutres, c'est où, s'il vous plaît?
Au rayon papeterie.
Et il se trouve où, le rayon papeterie?
Au cinquième étage. Vous prenez l'ascenseur, là, au fond, à gauche, près du rayon des bijoux. Vous voyez?
Oui, au cinquième étage, je prends l'ascenseur au fond à gauche, d'accord. Je vous remercie.

Bonjour, madame. Je cherche le rayon des chaussettes, s'il vous plaît.
Oui. Pour dames, hommes ou enfants?
Pour hommes.

— Vous les trouverez au rayon vêtements pour hommes au premier étage.
— Au premier étage, vous m'avez (dit)?
— Oui, voilà, c'est ça.
— D'accord. Merci. C'est où...?
— Vous... vous pouvez prendre l'escalier roulant là à droite, tout de suite après le rayon des disques.
— D'accord, l'escalier roulant à droite et c'est tout de suite après le rayon des disques. D'accord. Merci, madame.
— Oui. Ou si vous préférez, vous pouvez prendre l'ascenseur au fond de la salle.
— L'ascenseur au fond de la salle. D'accord, merci. Au revoir.

27 Une réclamation

— Bonjour, madame.
— Bonjour, mademoiselle.
— J'ai acheté ce pantalon ici avant-hier, mercredi, et je viens juste de remarquer que la couture est toute décousue. Vous voyez, là, le trou.
— Effectivement. Vous êtes sûre que c'est la bonne taille?
— Bien sûr que c'est la bonne taille. C'est du 38, n'est-ce pas?
— Le pantalon n'est pas un petit peu trop petit?
— Mais non, je fais du 38. Ce pantalon m'allait parfaitement bien. Il n'est pas trop petit du tout.
— Vous l'avez acheté avant-hier, mercredi?
— Oui.
— Vous avez un reçu, s'il vous plaît, mademoiselle?
— Bien sûr. J'ai le ticket de caisse. Voilà.
— Merci. Oui, tout est en ordre. Vous voulez l'échanger? Vous voulez prendre un autre à sa place?
— Oui, pourquoi pas?
— Écoutez, dans un 38 ...Non, je n'ai plus dans la même teinte. Vous voulez prendre une autre couleur?
— Quelles couleurs avez-vous?
— Oh, nous avons des bleu clair, de très jolis roses.
— Non, je ne les trouve pas jolis du tout. Ils ne me plaisent absolument pas.
— J'attends une livraison. Vous pouvez revenir samedi prochain? Je pourrais vous l'échanger.
— Ah, ce n'est pas possible. Je ne peux absolument pas attendre. Je pars en vacances demain. Écoutez, je préfère me faire rembourser dans ce cas-là.
— Vous ne désirez pas autre chose? Une jupe, un short?
— Écoutez, madame, il est inutile d'insister. S'il vous plaît, rendez-moi mon argent.
— Très bien, si vous êtes tout à fait sûre.
— Je suis tout à fait sûre, madame.
— Très bien. 220 francs. Voilà.

28 Offres spéciales

— Mesdames et Messieurs, bonjour et bienvenue à Intermarché. Aujourd'hui - et toute cette semaine, du 13 au 18 février - il y a des promotions spéciales pour tous nos clients.
— Au rayon épicerie, nous avons le café Aromex, prix habituel 41 francs 50, aujourd'hui spécialement au prix incroyable de 33 francs 90.
— À Intermarché, c'est la fête des économies! Dans les produits surgelés, vous pourrez trouver le steak haché au prix promotionnel de 22 francs 90 le paquet de dix.
— Précipitez-vous immédiatement au rayon charcuterie où il y a de vraies affaires à saisir pour cette semaine seulement, le saucisson à l'ail est à neuf francs 80 le kilo, et le jambon Torchon, qualité supérieure, est à 39 francs 50 le kilo seulement.
— A Intermarché, pas de faux cadeaux mais de vrais prix. Au rayon crémerie, vous avez une réduction de deux francs sur le prix d'un pot de crème fraîche. Un pot de 50 grammes, prix habituel huit francs 95 se vend cette semaine au prix promotionnel de six francs 95. Profitez-en et bons achats à tous!

29 Location de vélos

— Bonjour. Je voudrais me renseigner. C'est au sujet de la location des bicyclettes. Voilà, je suis en vacances ici avec ma famille. Nous campons près du château et je pense que nous aimerions bien faire des promenades à vélo dans la région.
— C'est une excellente idée. Il y a de belles promenades à faire ici.
— Y a-t-il des limites ...une limite d'âge?
— Ah non, non, il n'y a pas d'âge minimum.
— Ah oui parce que, vous comprenez, j'ai un cousin qui a dix ans.
— Ah ben, pour les mineurs - moins de 18 ans - on aime avoir une autorisation des parents.
— D'accord. Bon, il n'y a pas de problème. Et quels sont les types de bicyclettes que vous avez?
— Alors, on a deux modèles. Ici vous avez le modèle randonneur à cinq vitesses et là, le modèle mixte à deux vitesses automatique qui est beaucoup plus populaire.
— D'accord. Et peut-on les louer à la journée?
— Ah oui, la journée, c'est 14 francs.
— OK. 14 francs. Et est-il possible de les louer juste pour une après-midi?
— Ah oui, oui, aussi. La demi-journée, c'est neuf francs. On vient d'augmenter le tarif malheureusement.
— D'accord.
— Mais si vous voulez louer pour une période plus

longue, c'est plus économique.
— C'est-à-dire?
— Par exemple, nous faisons un forfait week-end pour 25 francs et pour la semaine, c'est 60.
— Et faut-il prendre une assurance?
— Ah non, non, non. L'assurance est comprise.
— Et faut-il réserver à l'avance?
— Non, ce n'est pas nécessaire mais en période d vacances, il est prudent de m'avertir à l'avance - si vous pouvez, naturellement.
— Oui. Et êtes-vous ouvert tous les jours?
— Tous les jours de huit heures 30 à 20 heures.
— Donc, jusqu'à 20 heures, très bien. Ben, je vous remercie.
— Merci.

30 À l'agence de voyages

— Bonjour, monsieur.
— Bonjour.
— J'ai envie de partir quelques jours en Angleterre à Londres. Quel moyen de transport me conseillez-vous?
— Bien, écoutez, le plus rapide, c'est l'avion, bien entendu.
— Mais c'est cher.
— Non, pas forcément. Vous partez quand?
— Mi-juin.
— Alors, mi-juin, voyons. Écoutez, ils ont des tarifs tɪ raisonnables. Alors, par exemple, le tarif excursio Superpex-Vacances jusqu'au 30 juin, c'est 970 francs aller et retour.
— Et on part de quel aéroport?
— Départ de l'aéroport Charles de Gaulle. C'est-à dire que du centre on prend un autocar ou un liaison ferroviaire - le train qui va de la Gare d Nord à peu près toutes les quinze minutes.
— Et le bateau, c'est moins cher?
— Ah oui, mais le voyage est beaucoup plus long
— Et ça coûte combien?
— L'aller-retour en bateau - le moins cher que j'a c'est via Dieppe, traversée quatre heures - 470 francs au mois de juin.
— 470 francs?
— Mais via Calais, ça, c'est la traversée de la Manche la plus rapide, c'est moins de deux heures et c'est 490 francs.
— 490 francs?
— Mm hm.
— Aller et retour?
— Oui, oui. Bien entendu.
— Et si on prend l'aéroglisseur?
— Alors, train et aéroglisseur, c'est 540 francs aller retour.
— Train et aéroglisseur, 540 francs aller-retour?
— Oui, et puis l'aéroglisseur, bien entendu, est bi plus rapide que le bateau.
— Ah excellent!

- Mais attention! Si la mer est très agitée, les aéroglisseurs ne peuvent pas faire la traversée.

1 Stationnement interdit

- Madame, vous ne pouvez pas laisser votre voiture ici. Le stationnement est interdit.
- Comment ça? Interdit? Mais où est-ce que je peux la laisser dans ce cas-là?
- Essayez plus loin, vers le jardin public.
- Mais il n'y a pas de places.
- Madame, il y a un parking payant devant l'Hôtel de Ville. Il y a toujours des places là-bas.
- Devant l'Hôtel de Ville, vous dites? Bon, je vais essayer.

- Allons, vous avez laissé ce papillon sur mon parebrise. Je dois payer une contravention?
- Ah monsieur, vous ne pouvez pas laisser votre voiture ici. Le stationnement est interdit.
- Mais, je sais bien mais ma voiture est en panne. Je ne peux pas la déplacer.
- En panne? Qu'est-ce qui ne va pas?
- Le pneu est crevé.

Vous n'allez pas laisser votre camion là, monsieur, surtout un grand poids lourd comme ça. Le stationnement est interdit.
Voyons, je fais une livraison. J'en ai pour cinq minutes.
Une livraison?
Mais oui, enfin, vous voyez bien. Je livre ces légumes au supermarché. Allons! Vous n'allez pas me donner une contravention?
Bon, avancez un petit peu. Comme ça, vous ne gênerez pas la circulation.

Au bureau des objets trouvés

S'il vous plaît, j'ai perdu mon portefeuille.
Oui. Vous avez rempli une fiche?
Une fiche? Non.
Ah ben, il faut remplir une fiche – une déclaration de perte.
Une déclaration de perte?
Oui, les fiches roses, là, voilà!
Ah! Merci.
Bon alors, en haut vous écrivez – objet perdu.
Donc, c'est un portefeuille, c'est ça?
Oui. C'est un portefeuille.
Bon. Et ici vous écrivez l'endroit où vous l'avez perdu.

- Ben, c'était dans l'autobus.
- Oui, dans l'autobus. Mais lequel? Quel numéro?
- Ah, le 4. C'est pour aller de la piscine à la gare.
- Bon, vous écrivez – 4. Bien, voilà. Bon, et puis en bas, vous faites la description de l'objet – sa couleur, etc.
- Oui. Bon, c'était un portefeuille noir, en cuir avec un bouton pression.
- Oui, mais grand, petit?
- C'était un grand portefeuille avec des billets de banque et tous mes documents. Voilà. Ça suffit?
- Ben, oui. Bon. Ça va. À droite là, en bas là, vous écrivez la date. Quand est-ce que vous l'avez perdu?
- Aujourd'hui, ce matin même.
- Bon, alors, vous écrivez 25 février.
- Oui, 25 février. Voilà.
- Bon, votre nom, votre adresse.
- Oui, Fournier Michel, 26, rue des Rosiers.
- Bon, c'est tout. Bon, vous avez votre carte d'identité?
- Pardon? Ma carte d'identité? Non, non, non. C'était dans mon portefeuille.

33 Comment vas-tu?

- Bonjour, Kate. Entre. Je suis Nathalie. Comment vas-tu? Est-ce que tu as fait bon voyage?
- Ah oui. Ça va bien. Mon voyage était très bien.
- Tu n'as pas eu le mal de mer sur le ferry? Parce que moi, je déteste les bateaux.
- Oh non, ça va. Tout s'est bien passé, mais j'ai un peu mal à la tête.
- Attends, je vais aller te chercher de l'aspirine.
- Ah merci.
- Tu dois avoir faim, non?
- Non, j'ai mangé sur le bateau. Mais j'ai très soif.
- Bien sûr, oui. Qu'est-ce que tu veux, du thé, du café ou un jus de fruit?
- Ah, un jus de fruit, s'il te plaît. Il fait si chaud.
- Oui, il fait très chaud. Depuis quelque temps, le temps est comme ça. Il fait très lourd et c'est très fatigant. Mais tu veux peut-être te reposer?
- Ça va. Mais c'est possible de prendre un bain?
- Bien sûr, oui, un bain ou une douche, comme tu veux. La salle de bains, c'est la première porte à gauche.
- Merci. Est-ce qu'il ... Est-ce que vous avez un savon ou une serviette de bain?
- Oui, bien sûr. J'ai tout mis sur ton lit. Viens, je vais te montrer.

34 Un métier qui m'intéresse

Abdelhalim Farina

- En ce moment, je prépare mon brevet de technicien. L'année prochaine, je voudrais entrer chez IBM. C'est une grande entreprise qui construit des ordinateurs. Je m'intéresse beaucoup à l'informatique et comme je suis fort en sciences, ça devrait m'aider.

Catherine Ribron

— Cette année je passe mon bac – c'est-à-dire, le baccalauréat. C'est l'examen le plus important en France. Si je suis reçue, j'aimerais aller à l'université. Je m'intéresse aux pays étrangers et je suis forte en langues vivantes. Je voudrais étudier le japonais car le Japon, c'est un pays fascinant. J'aimerais travailler à l'étranger un jour.

Éric Adam

— Travailler dans une banque, c'est mon ambition car c'est un travail stable et bien payé. En plus, il y a de bonnes chances de promotion. J'ai de bons résultats à mes examens, surtout en mathématiques et je pense que ça devrait marcher.

Mélanie Dureuil

— J'ai quitté le collège l'année dernière. Le travail scolaire, c'est vraiment ennuyeux puis je n'ai pas de bons résultats. En ce moment, je suis au chômage. J'ai déjà eu un travail temporaire dans une station-service mais ça ne m'a pas plu. Maintenant je vais demander un poste dans un hôpital comme aide-soignante ou infirmière.

35 Au guichet

— Bonjour. Je voudrais un aller-retour pour Genève, s'il vous plaît.
— Oui, première, deuxième classe?
— Deuxième classe.
— Oui, à quelle heure voulez-vous partir?
— Ben, tout de suite.
— Tout de suite. Ah, le 14H32 vient de partir.
— Ah. Bon, bien, et le prochain, c'est quand?
— Le prochain, oui, ben, c'est à 17H40.
— Bon, ben, OK. C'est bon. Enfin, je vais pouvoir visiter la ville, comme ça. Je suis pas pressé.
— Oui, il faut faire une réservation. C'est un train TGV, la réservation est obligatoire.
— Bon, ben, très bien. Je peux avoir un coin-fenêtre?
— Non. Désolé, plus de coin-fenêtre. Coin-couloir?
— Bon, ça va, merci.
— Très bien. Fumeur? Non-fumeur?
— Non-fumeur. C'est possible?
— Oui, non-fumeur. Oui.
— Le buffet de la gare est ouvert?
— Oui. Le buffet est au fond de la salle. Vous le

trouverez à côté de la salle d'attente.
— Ah, merci beaucoup.

36 Faits divers

— Il est 21 heures. Voici le bulletin des informations régionales.
Entre samedi soir et lundi midi un cambriolage a eu lieu dans un petit magasin de Friville. Les voleurs ont pénétré dans le magasin de Monsieur François Ortu, rue Jules Vallès et ont emporté plusieurs vêtements et bibelots.
Un compteur électrique a pris feu hier vers 17 heures 30 sur un chantier à Abbeville. Trois employés de l'entreprise Demouselle qui travaillaient sur le chantier ont été brûlés au visage à la suite de l'incendie et ont dû être transportés au centre hospitalier d'Abbeville.
Une jeune fille de sept ans a été renversée hier après-midi à Hangest-en-Santerre. Lydia Ansermet, qui était en vacances chez ses grands-parents, traversait la rue d'Arvilliers quand elle a été renversée par une Renault 4. Elle a été transportée à l'hôpital d'Amiens.